Criatividade e processos de criação

CIP-Brasil. Catalogação-na-fonte.
Sindicato Nacional dos Editores de Livros, RJ

Ostrower, Fayga
094c Criatividade e processos de criação / Fayga Ostrower. 30. ed. – Petrópolis, Vozes, 2014.
Bibliografia.

11ª reimpressão, 2025.

ISBN 978-85-326-0553-5

1. Criação (Literária, artística, etc.) – Teoria I. Título.

CDD – 701.15
153.35
78-0170 CDD – 7:159.928
159.928

Fayga Ostrower

Criatividade e processos de criação

Petrópolis

Direitos de publicação em língua portuguesa reservados à
1978, Editora Vozes Ltda.
Rua Frei Luís, 100
25689-900 Petrópolis, RJ
www.vozes.com.br
Brasil

Diagramação: AG.SR Desenv. Gráfico
Coordenação, capa e programação de arte: Fayga Ostrower
Fotografias: Henrique Ostrower

A 1ª edição foi publicada pela Imago Editora em 1977.

ISBN 978-85-326-0553-5

Este livro foi composto e impresso pela Editora Vozes Ltda.

Sumário

Ilustrações

Introdução

O tema deste livro é a criatividade. O enfoque, o ser humano criativo.

Consideramos a criatividade um potencial inerente ao homem, e a realização desse potencial uma de suas necessidades.

As potencialidades e os processos criativos não se restringem, porém, à arte. Em nossa época, as artes são vistas como área privilegiada do fazer humano, onde ao indivíduo parece facultada uma liberdade de ação em amplitude emocional e intelectual inexistente nos outros campos de atividade humana, e unicamente o trabalho artístico é qualificado de criativo. Não nos parece correta essa visão de criatividade. O criar só pode ser visto num sentido global, como um agir integrado em um viver humano. De fato, criar e viver se interligam.

A natureza criativa do homem se elabora no contexto cultural. Todo indivíduo se desenvolve em uma realidade social, em cujas necessidades e valorações culturais se moldam os próprios valores de vida. No indivíduo confrontam-se, por assim dizer, dois polos de uma mesma relação: a sua criatividade que representa as potencialidades de um ser único, e sua criação que será a realização dessas potencialidades já dentro do quadro de determinada cultura. Assim, uma das ideias básicas do presente livro é considerar os processos criativos na interligação dos dois níveis de existência humana: o nível individual e o nível cultural.

Outra ideia é a de que criar corresponde a um formar, um dar forma a alguma coisa. Sejam quais forem os modos e os meios, ao se criar algo, sempre se o ordena e se o configura. Em qualquer tipo de realização são envolvidos princípios de forma, no sentido amplo em que aqui é compreendida a forma, isto é, como uma estruturação, não restrita à imagem visual. Partindo dessa concepção, achamos importante fundamentar a ideia dos processos criativos utilizando noções teóricas sobre a estrutura da forma. Veremos, também, que no próprio modo de se estabelecerem certas relações mediante as quais para nós vai surgir o sentido da forma, dos limites e do equilíbrio, o fator cultural valorativo atua sobre as configurações individuais e já preestabelece certos significados

Na mesma ordem de pensamento, entendemos o fazer e o configurar do homem como atuações de caráter simbólico. Toda forma é forma de comunicação ao mesmo tempo que forma de realização. Ela corresponde, ainda, a aspectos expressivos de um desenvolvimento interior na pessoa, refletindo processos de crescimento e de maturação cujos níveis integrativos consideramos indispensáveis para a realização das potencialidades criativas. Aos processos de maturação se vinculam, por sua vez, a espontaneidade e a liberdade no criar. Na verdade, todos os problemas são intimamente interligados; o mais difícil para nós foi encontrar um ponto de partida, ou mesmo um modo de tratar aspectos particulares sem que parecessem ter sido arbitrariamente isolados ou supervalorizados.

Convém observar a posição aqui assumida de que a criação, em seu sentido mais significativo e mais profundo, tem como uma das premissas a percepção consciente. Reconhecemos que existem teorias que admitem exatamente o oposto. E outras, que veem no consciente um fator negativo para a criação, dada sua eventual tendência de reprimir a criatividade espontânea. Consideramos isso uma meia-verdade. Admitimos que, em nossa época, o consciente esteja sendo reprimido, manipulado, massificado, enrijecido. Acreditamos, também, que a pessoa rígida, altamente racionalizada, vivendo em um meio cultural que em sua filosofia de vida é racionalista e reducionista, não seja capaz de criar, entretanto, consideramos essa consciência, repressiva e esmagadora, como uma deformação do consciente.

Existe ainda um tema que aqui não é abordado expressamente, mas constituiu-se, de fato, numa preocupação básica. Em torno dele gira o livro como se girasse em torno de um eixo central. Trata-se da alienação do homem. Em si, a questão não é nova nem tão recente. Há muito, o ser humano vive alienado de si mesmo. As riquezas materiais, os conhecimentos sobre o mundo e os meios técnicos de que hoje se dispõe, em pouco alteraram essa condição humana. Ao contrário, o homem contemporâneo, colocado diante das múltiplas funções que deve exercer, pressionado por múltiplas exigências, bombardeado por um fluxo ininterrupto de informações contraditórias, em aceleração crescente que quase ultrapassa o ritmo orgânico de sua vida, em vez de se integrar como ser individual e ser social, sofre um processo de desintegração. Aliena-se de si, de seu trabalho, de suas possibilidades de criar e de realizar em sua vida conteúdos mais humanos.

A gravidade do problema nos levou a empreender o presente trabalho, com a esperança de poder questionar certos aspectos da alienação, sobretudo os que se referem à criatividade. Naturalmente, este texto contém também o depoimento de um artista. Provém de nossa vivência profissional com problemas de criatividade na arte, no ensino da arte e na busca intelectual de aprofundar a compreensão de problemas criativos em geral.

Este livro se destina às pessoas que se fazem perguntas. Não acreditamos ter respostas definitivas. Procurando recuperar certos valores humanísticos tentamos, contudo, fornecer alguns elementos para que se enfrente melhor uma época como a nossa, em que dos sistemas e dos processos dirigidos de massificação só vemos resultar um condicionamento muito grande para os indivíduos, um aviltamento e um esmagamento do seu real potencial criador.

Deixamos, porém, a questão em aberto. Não pretendemos ter esgotado o assunto, mormente um assunto como a criatividade, que envolve toda a sensibilidade do ser humano.

Ao meu marido, aos meus filhos e aos meus amigos agradeço terem discutido o texto comigo e do modo mais generoso terem colocado à minha disposição os seus conhecimentos e o seu tempo; devo-lhes conselhos e retificações valiosas, a Konrad Loewenstein, Maria Antônia Rocha e Silva, Flora Strozenberg, Gilberto Mendonça Teles, Renina Katz, entre outros.

FAYGA OSTROWER
Rio de Janeiro, setembro de 1976

I. Potencial

Criar é, basicamente, formar. É poder dar uma forma a algo novo. Em qualquer que seja o campo de atividade, trata-se, nesse "novo", de novas coerências que se estabelecem para a mente humana, fenômenos relacionados de modo novo e compreendidos em termos novos. O ato criador abrange, portanto, a capacidade de compreender; e esta, por sua vez, a de relacionar, ordenar, configurar, significar.

Desde as primeiras culturas, o ser humano surge dotado de um dom singular: mais do que *homo faber*, ser fazedor, o homem é um ser formador. Ele é capaz de estabelecer relacionamentos entre os múltiplos eventos que ocorrem ao redor e dentro dele. Relacionando os eventos, ele os configura em sua experiência do viver e lhes dá um significado. Nas perguntas que o homem faz ou nas soluções que encontra, ao agir, ao imaginar, ao sonhar, sempre o homem relaciona e forma.

Nós nos movemos entre formas. Um ato tão corriqueiro como atravessar a rua – é impregnado de formas. Observar as pessoas e as casas, notar a claridade do dia, o calor, reflexos, cores, sons, cheiros, lembrar-se do que se tencionava fazer, de compromissos a cumprir, gostando ou detestando o preciso instante e ainda associando-o a outros – tudo isto são formas em que as coisas se configuram para nós. De inúmeros estímulos que recebemos a cada instante, relacionamos alguns e os percebemos em relacionamentos que se tornam ordenações.

As formas de percepção não são gratuitas nem os relacionamentos se estabelecem ao acaso. Ainda que talvez a lógica de seu desdobramento nos escape, sentimos perfeitamente que há um nexo. Sentimos, também, que de certo modo somos nós o ponto focal de referência, pois ao relacionarmos os fenômenos nós os ligamos entre si e os vinculamos a nós mesmos. Sem nos darmos conta, nós os orientamos de acordo com expectativas, desejos, medos, e sobretudo de acordo com uma atitude do nosso ser mais íntimo, uma ordenação interior. Em cada ato nosso, no exercê-lo, no compreendê-lo e no compreender-nos dentro dele, transparece a projeção de nossa ordem interior. Constitui uma maneira específica de focalizar e de interpretar os fenômenos, sempre em busca de significados.

Nessa busca de ordenações e de significados reside a profunda motivação humana de criar. Impelido, como ser consciente, a compreender a vida, o homem é impelido a formar. Ele precisa orientar-se, ordenando os fenômenos e avaliando o sentido das formas ordenadas; precisa comunicar-se com outros seres humanos, novamente através de formas ordenadas. Trata-se, pois, de *possibilidades*, potencialidades do homem que se convertem em *necessidades existenciais*. O homem cria, não apenas porque quer, ou porque gosta, e sim porque precisa; ele só pode crescer, enquanto ser humano, coerentemente, ordenando, dando forma, criando.

Os processos de criação ocorrem no âmbito da intuição. Embora integrem, como será visto mais adiante, toda experiência possível ao indivíduo, também a racional, trata-se de processos essencialmente intuitivos. As diversas opções e decisões que surgem no trabalho e que determinam a configuração em vias de ser criada, não se reduzem a operações dirigidas pelo conhecimento consciente. Intuitivos, esses processos se tornam conscientes na medida em que são expressos, isto é, na medida em que lhes damos uma forma. Entretanto, mesmo que a sua elaboração permaneça em níveis subconscientes, os processos criativos teriam que referir-se à consciência dos homens, pois só assim poderiam ser indagados a respeito dos possíveis significados que existem no ato criador. Entende-se que a própria consciência nunca é algo acabado ou definitivo. Ela vai se formando no exercício de si mesma, num desenvolvimento dinâmico em que o homem, procurando sobreviver e agindo, ao transformar a natureza se transforma também. E o homem não somente percebe as transformações como sobretudo nelas *se* percebe.

A percepção de si mesmo dentro do agir é um aspecto relevante que distingue a criatividade humana. Movido por necessidades concretas sempre novas, o potencial criador do homem surge na história como um fator de realização e constante transformação. Ele afeta o mundo físico, a própria condição humana e os contextos culturais. Para tanto, a percepção consciente na ação humana se nos afigura como uma premissa básica da criação, pois além de resolver situações imediatas o homem é capaz de a elas se antecipar mentalmente. Não antevê apenas certas *soluções*. Mais significativa ainda é a sua capacidade de *antever* certos *problemas*.

Daí podermos falar da 'intencionalidade' da ação humana. Mais do que um simples ato proposital, o ato intencional pressupõe existir uma mobilização interior, não necessariamente consciente, que é orientada para determinada finalidade antes mesmo de existir a situação concreta para a qual a ação seja solicitada[1]. É uma mobilização latente seletiva. Assim, circunstâncias em tudo hipotéticas podem repentinamente ser percebidas interligando-se na imaginação e propondo a solução para um problema concebido. Representariam modos de ação mental a dirigir o agir físico.

---

1. Por exemplo, quando o caçador pré-histórico apanha uma pedra para usá-la na próxima caça.

O ato criador não nos parece existir antes ou fora do ato intencional, nem haveria condições, fora da intencionalidade, de se avaliar situações novas ou buscar novas coerências. Em toda criação humana, no entanto, revelam-se certos critérios que foram elaborados pelo indivíduo através de escolhas e alternativas.

Ser consciente-sensível-cultural

No curso evolutivo da humanidade, segundo a pesquisa moderna, talvez um milhão de anos antes de surgir o *homo sapiens*, depara-se com espécies a caminho da humanização. Os chamados "hominidas" deixaram vestígios que permitem inferir uma existência já de certo modo *consciente-sensível-cultural*. Não temos, aqui, a pretensão de saber como o homem adquiriu esses característicos, nem tampouco em qual ramo dos nossos precursores se deu a fusão de tais qualidades. Queremos constatar apenas que ela existe há muito tempo. E mais, entendemos que precisamente na integração do consciente, do sensível e do cultural se baseiam os comportamentos criativos do homem. Somente ante o ato intencional, isto é, ante a ação de um ser consciente, faz sentido falar-se de *criação*. Sem a consciência, prescinde-se tanto do imaginativo na ação, quanto do fato da ação criativa alterar os comportamentos do próprio ser que agiu.

Ao constatarmos a presença das diversas qualificações que se fundem no ato criativo, cabe diferenciá-las. O homem será um ser consciente e sensível em qualquer contexto cultural. Quer dizer, a consciência e a sensibilidade das pessoas fazem parte de sua herança biológica, são qualidades comportamentais inatas, ao passo que a cultura representa o desenvolvimento social do homem; configura as formas de convívio entre as pessoas. Na história humana – um caminho de crescente humanização, ainda que se questione, e com razão, a ideia de "progresso" linear – as culturas assumem formas variáveis que se alteram com bastante rapidez, incomparavelmente mais rápidas do que eventuais alterações biológicas no homem. As culturas se acumulam, diversificam-se, complexificam-se e se enriquecem. Ou então também, desenvolvem-se e, por motivos sociais, extinguem-se ou são extintas. Até poder-se-ia dizer que as culturas não são herdadas, são antes transmitidas.

O que, porém, aqui nos importa frisar é o fato de a herança genética, isto é, o potencial consciente e sensível de cada um, realizar-se sempre e unicamente dentro de formas culturais. Não há, para o ser humano, um desenvolvimento biológico que possa ocorrer independente do cultural. O comportamento de cada ser humano se molda pelos padrões culturais, históricos, do grupo em que ele, indivíduo, nasce e cresce. Ainda vinculado aos mesmos padrões coletivos, ele se desenvolverá enquanto individualidade, com seu modo pessoal de agir, seus sonhos, suas aspirações e suas eventuais realizações.

Assim, ao abordarmos em seguida alguns aspectos do ser consciente-sensível-cultural, queremos deixar bem claro que o nosso enfoque continua sendo a cultura. Importa-nos mostrar como a cultura serve de referência a tudo o que o indivíduo é, faz, comunica, à elaboração de novas atitudes e novos comportamentos[2] e, naturalmente, a toda possível criação.

Ser sensível

Como processos intuitivos, os processos de criação interligam-se intimamente com o nosso ser sensível. Mesmo no âmbito conceitual ou intelectual, a criação se articula principalmente através da sensibilidade.

Inata ou até mesmo inerente à constituição do homem, a sensibilidade não é peculiar somente a artistas ou alguns poucos privilegiados. Em si, ela é patrimônio de todos os seres humanos. Ainda que em diferentes graus ou talvez em áreas sensíveis diferentes, todo ser humano que nasce, nasce com um potencial de sensibilidade.

Queremos, antes de tudo, precisar a palavra *sensibilidade*, definindo-a no sentido em que aqui a usamos. Baseada numa disposição elementar, num permanente estado de excitabilidade sensorial, a sensibilidade é uma porta de entrada das sensações. Representa uma abertura constante ao mundo e nos liga de modo imediato ao acontecer em torno de nós. Na verdade, esse fenômeno não ocorre unicamente com o ser humano. É essencial a qualquer forma de vida e inerente à própria condição de vida. Todas as formas vivas têm que estar "abertas" ao seu meio ambiente a fim de sobreviverem, têm que poder receber e reconhecer estímulos e reagir adequadamente para que se processem as funções vitais do metabolismo, numa troca de energia.

Uma grande parte da sensibilidade, a maior parte talvez, incluindo as sensações internas, permanece vinculada ao inconsciente. A ela pertencem as reações involuntárias do nosso organismo, bem como todas as formas de autorregulagem. Uma outra parte, porém, também participando do sensório, chega ao nosso consciente. Ela chega de modo articulado, isto é, chega em formas organizadas. É a nossa *percepção*. Abrange o ser intelectual, pois *a percepção é a elaboração mental das sensações*.

---

2. A influência da cultura pode até reincidir sobre certos traços biológicos do homem, determinando ou alterando-os – assim, em nossa cultura, por exemplo, observa-se uma alteração de ritmos de crescimento orgânico, afetando a estatura física das pessoas, ou ainda a relação entre o desenvolvimento intelectual e o emocional.

A percepção delimita o que somos capazes de sentir e compreender, porquanto corresponde a uma ordenação seletiva dos estímulos e cria uma barreira entre o que percebemos e o que não percebemos. Articula o mundo que nos atinge, o mundo que chegamos a conhecer e dentro do qual nós nos conhecemos. Articula o nosso ser dentro do não ser.

Nessa ordenação dos dados sensíveis estruturam-se os níveis do consciente; ela permite que, ao apreender o mundo, o homem apreenda também o próprio ato de apreensão; permite que, apreendendo, o homem compreenda. Dentro do vasto campo da *sensibilidade* é, portanto, à *percepção* a que nos referimos neste livro.

Ser cultural

Segundo os conhecimentos atuais a respeito do passado, o homem surge na história como um ser cultural. Ao agir, ele age culturalmente, apoiado na cultura e dentro de uma cultura.

Procuramos definir aqui o que entendemos por cultura: são as formas materiais e espirituais com que os indivíduos de um grupo convivem, nas quais atuam e se comunicam e cuja experiência coletiva pode ser transmitida através de vias simbólicas para a geração seguinte.

Embora não se saiba quais foram as formas de convívio coletivo inicialmente, entende-se hoje que os comportamentos dos homínidas devem ser considerados culturais. É verdade que os indícios encontrados nos fósseis: postura ereta, mãos livres, dentaduras com caninos atrofiados, uma capacidade craniana maior do que a dos outros primatas, por si mesmos sejam inconclusivos, ainda que no contexto de uma estrutura morfológica de seres que não possuíam qualquer meio físico de defesa, fuga ou ataque, já impliquem uma "hominização". Entretanto, além desses dados, existem provas irrefutáveis de seres de percepção consciente e de vida cultural: as pedras lascadas.

Assim, o estudo de fósseis muito antigos se complementa com a leitura arqueológica da pedra lascada. Grahame Clarke, autor do livro *World Prehistory*, coloca-o em termos bastante incisivos. Discriminando os homínidas pré-humanos, na vasta ramificação de espécies que entrariam na linha evolutiva do *homo*, diz[3] "para se qualificarem como humanos, os homínidas teriam que justificar-se, por assim dizer, por suas obras; os critérios não são mais tanto biológicos como culturais". E mais adiante, comentando sobre a diferença fundamental que existe entre usar ferramentas e poder manufaturá-las, ele diz: "fazer qualquer ferramenta, mesmo nas sociedades humanas mais primitivas, baseia-se num conheci-

3. CLARKE, Grahame . *World Prehistory*. Cambridge: University Press, 1961, p. 26 e 27.

mento preciso da matéria-prima e, dentro dos limites tecnológicos, em conhecimentos de como manuseá-los mais eficientemente. Ademais, é característico dos seres humanos terem uma apreciação muito maior do fator tempo do que outros primatas; em suas tradições orais, usam as *memórias do passado*, as quais lhes servem como uma espécie de *capital cultural*" (grifos nossos).

Pelo que possam divergir os vários pesquisadores arqueológicos na interpretação de dados e datas, em um ponto há concordância geral: a espécie *Pitecanthropus pekinensis*, o chamado homem de Choukoutien (China), que vivia há cerca de 500.000 anos, produzia pedras lascadas e já conhecia o fogo.

Encontraram-se enormes quantidades de pontas de pedra, dezenas ou centenas de milhares. Estavam nas camadas de escavação que continham fragmentos ósseos, dentes e partes de esqueletos hominídeos, junto com fragmentos ósseos de animais de caça. Os ossos, de animais e de homínidas também, eram carbonizados e ainda quebrados longitudinalmente, talvez para se sorver o tutano. As pedras, duríssimas, seixos, sílex, obsidiana, que, quando batidas com força, têm a propriedade de rachar em estilhaços mais ou menos grandes, eram trabalhadas de forma inconfundível e claramente vinculada a um propósito: serviam de arma e ferramenta, cunhas, facas cortantes (cujas quinas podem igualar-se ao fio de uma navalha), pontas de lança. Reconhece-se a lasca ter sido destacada e afiada ainda com golpes pequenos em toda volta. É uma forma característica de produção, as primeiras chamadas "manufaturas" de pedra lascada, que continua praticamente inalterada por uns 250.000 anos[4]. Nos vários continentes se preserva uma técnica bastante similar, amarrando-se também a pedra a cabos e lanças para produzir machados, facões, arpões, até o advento do arco e da flecha, que parece coincidir com a domesticação do cachorro para caça. Mas supõe-se, e a suposição é convincente embora por razões óbvias não possa ser provada, que através de eras imemoriais, talvez por centenas de milhares de anos, antes de lascarem as pedras, os homínidas tenham apanhado do chão aquelas pedras pontudas que melhor servissem para fins de caça ou para cortar a carne do animal ou para furar e preparar peles. Depois de usadas, as pedras naturais, os chamados eólitos (do grego: *Eós*, aurora; e *lithos*, pedra; as pedras da aurora do homem), eram jogadas fora.

Os homínidas deviam poder comunicar suas experiências. Por meios rudimentares que fossem, em parte imitativos talvez, deviam ter mostrado

---

4. Essa forma, das pedras lascadas, representa uma solução funcional perfeita, no sentido de que qualquer modificação teria significado uma diminuição do seu rendimento. Observação feita por Alfred Rust, no livro *Der Primitive Mensch – Propyläen-Weltgeschichte*. Frankfurt: Verlag Ullstein, 1961.

Ilustração I
PEDRA LASCADA encontrada nas margens do Rio Tâmisa.
Idade aproximada de 500.000 anos

aos jovens quais as pedras que serviam, como lascá-las e como caçar. Sua sobrevivência dependia disso. Só o poderiam ter feito usando algum tipo de expressão simbólica que designasse o objeto presente, a pedra, e também o objeto ausente, a finalidade da ação, o animal. A não ser em caso de surpresa, decerto não era na presença de um tigre que o atacasse que o hominida "instintivamente" começaria a procurar uma pedra adequada. Rara chance teria tido para sobreviver. Mas o *Pitecanthropus* já caçava os grandes mamíferos.

O fato de surgir um ser cultural, constituiu-se em nítida vantagem biológica para esse ser. Citando Carleton Coon[5], "no homem, a biologia tornou-se inseparável da cultura, uma vez que nossos ancestrais começaram a usar ferramentas. A partir de então, a seleção natural favoreceu aqueles que puderam usar a cultura em seu melhor benefício".

Ser consciente

Ao se tornar consciente de sua existência individual, o homem não deixa de conscientizar-se também de sua existência social, ainda que esse processo não seja vivido de forma intelectual. O modo de sentir e de pensar os fenômenos, o próprio modo de sentir-se e pensar-se, de vivenciar as aspirações, os possíveis êxitos e eventuais insucessos, tudo se molda segundo ideias e hábitos particulares ao contexto social em que se desenvolve o indivíduo. Os valores culturais vigentes constituem o clima mental para o seu agir. Criam as referências, discriminam as propostas, pois, conquanto os objetivos possam ser de caráter estritamente pessoal, neles se elaboram possibilidades culturais. Representando a individualidade subjetiva de cada um, a consciência representa a sua cultura.

Como ser que se percebe e se interroga, o homem é levado a interpretar todos os fenômenos; nessa tradução, o âmbito cultural transpõe o natural. A própria natureza em suas manifestações múltiplas é filtrada no consciente através de valores culturais, submetida a premissas que não se isentam das atitudes valorativas de um contexto social. Vejamos, a título exemplificativo, a imagem do sol, fenômeno tão eminente na vida. Se, no Egito antigo, o sol é venerado como divindade renascendo vitoriosa toda manhã e percorrendo os céus em seu barco diurno para no fim do dia sucumbir às forças da escuridão, num drama da natureza onde o homem se envolve emocionalmente; ou se, em nossa civilização, se constata nosso sol ser um entre 250 bilhões de sóis calculados existirem em nossa galáxia, a própria galáxia sendo uma entre bilhões de galáxias exis-

---

5. COON, Carleton S. *The History of Man*. Londres: Pelican Books, 1967, p. 35.

tentes no universo[6]; se, ainda em nosso contexto, o sol é investigado quanto a possibilidades de fornecer energia para nós, (na atitude moderna de se conceber a transformação de forças naturais como "fonte de energia"); se, na Idade Média, o sol é visto como uma coroa gigantesca flamejante (Tapeçaria do Apocalipse, 1377, Angers); ou, por outra, se numa pintura moderna o sol se torna um círculo preto entre borrões vermelhos ameaçadores, formações de nuvens sobre uma cidade imaginária (Klee, "Nuvens sobre Bor", 1928, col. Felix Klee, Berna) – essas visões diferentes de um mesmo fenômeno natural são também as diversas formas expressivas por que o fenômeno chega ao consciente dos indivíduos. As formas não ocorrem independentes ou desvinculadas de colocações culturais.

Nos processos de conscientização do indivíduo, a cultura influencia também a visão de vida de cada um. Orientando seus interesses e suas íntimas aspirações, suas necessidades de afirmação, propondo possíveis ou desejáveis formas de participação social, objetivos e ideais, a cultura orienta o ser sensível ao mesmo tempo que orienta o ser consciente. Com isso, a sensibilidade do indivíduo é aculturada e por sua vez orienta o fazer e o imaginar individual. Culturalmente seletiva, a sensibilidade guia o indivíduo nas considerações do que para ele seria importante ou necessário para alcançar certas metas de vida.

Vemos estabelecer-se aqui uma qualificação dinâmica para a sensibilidade: diríamos que, por se vincular no ser consciente a um fazer intencional e cultural em busca de conteúdos significativos, a sensibilidade se transforma. Torna-se ela mesma faculdade criadora, pois incorpora um princípio configurador seletivo. Nessa integração que se dá de potencialidades individuais com possibilidades culturais, *a criatividade não seria então senão a própria sensibilidade*. O criativo do homem se daria ao nível do sensível.

Acrescentamos ainda que, como fenômeno social, a sensibilidade se converteria em criatividade ao ligar-se estreitamente a uma atividade social significativa para o indivíduo. No enfoque simultâneo do consciente, cultural e sensível, qualquer atividade em si poderia tornar-se um criar[7].

---

6. Revista *Scientific American*, Scientific American Inc., New York, Volume n.° 233, n. 3, Setembro de 1975.

7. Isso, naturalmente, quando as circunstâncias de vida de um indivíduo permitem. Quando sua atividade *não* se lhe apresenta significativa, de um modo geral não se dá a estimulação da sensibilidade e o fazer do indivíduo dificilmente chegará a ser criativo. Ainda, para se realizarem as potencialidades individuais dentro do quadro de possíveis propostas culturais, será sempre também uma questão de níveis de integração que existam em uma sociedade e se proponham aos indivíduos. Todavia, este

Memória

Em nosso consciente destaca-se o papel desempenhado pela memória. Ao homem torna-se possível interligar o ontem ao amanhã. Ao contrário dos animais, mesmo os mais próximos na escala evolutiva, o homem pode atravessar o presente, pode compreender o instante atual como extensão mais recente de um passado, que ao tocar no futuro novamente recua e já se torna passado. Dessa sequência viva ele pode reter certas passagens e pode guardá-las, numa ampla disponibilidade, para algum futuro ignorado e imprevisível. Podendo conceber um desenvolvimento e, ainda, um rumo no fluir do tempo, o homem se torna apto a reformular as intenções do seu fazer e a adotar certos critérios para futuros comportamentos. Recolhe de experiências anteriores a lembrança de resultados obtidos, que o orientará em possíveis ações solicitadas no dia a dia da vida.

As intenções se estruturam junto com a memória. São importantes para o criar. Nem sempre serão conscientes nem, necessariamente, precisam equacionar-se com objetivos imediatos. Fazem-se conhecer, no curso das ações, como uma espécie de guia aceitando ou rejeitando certas opções e sugestões contidas no ambiente. Às vezes, descobrimos as nossas intenções só depois de realizada a ação. (Lembramos, como exemplo, que certos erros, talvez até fracassos, mais tarde podem revelar-se para nós em suas dimensões verdadeiras, como intenções produtivas ou mesmo criativas.)

Evocando um ontem e projetando-o sobre o amanhã, o homem dispõe em sua memória de um instrumental para, a tempos vários, integrar experiências já feitas com novas experiências que pretende fazer. Ao passo que para outras formas de vida certas condições ambientais precisam estar fisicamente presentes para que venha a se encadear a reação[8]. os seres humanos estendem sua capacidade de sondar e de explorar a vida a circunstâncias cujas regiões e cujos tempos já estão, ou ainda estariam, ausentes de seus sentidos. O espaço vivencial da memória representa, portanto, uma ampliação extraordinária, multidirecional, do espaço físico natural. Agregando áreas psíquicas de reminiscências e de intenções, forma-se uma nova geografia ambiental, geografia unicamente humana.

é o problema da alienação e seria objeto de estudos sociológicos da criatividade, com específicos conhecimentos teóricos e específica metodologia. Levantada a questão, fica a tarefa de analisá-la e interpretá-la para um especialista da matéria.

8. Apesar da destreza de chimpanzés em manipular varas, bastões, caixas, procurando apanhar objetos afastados fora das gaiolas, bananas por exemplo, só tem sido possível dirigir suas atividades para um objeto visível, isto é, enquanto o objeto permanece dentro do campo de visão. KOHLER, Wolfgang. *The Mentality of Apes*. Londres: Pelican Books, 1927.

Outros territórios hão de se lhe incorporar ainda. Imensos e ilimitáveis. Acompanhamos a interpenetração da memória no poder imaginativo do homem e, simultaneamente, em linguagens simbólicas. A consciência se amplia para as mais complexas formas de inteligência associativa, empreendendo seus voos através de espaços em crescente desdobramento, pelos múltiplos e concomitantes passados-presentes-futuros que se mobilizam em cada uma de nossas vivências.

Supõe-se que os processos de memória se baseiam na ativação de certos contextos e não em fatos isolados, embora os fatos possam ser lembrados. É o caso de conteúdos de ordem afetiva e de estados de ânimo, alegria, tristeza, medo, que caracterizariam determinadas situações de vida do indivíduo. De um ponto de vista operacional, à memória corresponderia uma retenção de dados já interligados em conteúdos vivenciais. Assim, circunstâncias novas e por vezes dissimilares poderiam reavivar um conteúdo anterior, se existirem fatores em relacionamentos análogos ao da situação original.[9]

Nota-se uma seletividade que organiza os processos em que a própria memória se vai estruturando. À semelhança do que sucede no sensório, onde a percepção ordena certos dados que chegam a ser percebidos por nós, a memória também ordena as vivências do passado. Em nossa experiência vivencial estruturam-se configurações de vida interior, formas psíquicas, que surgem em determinados momentos e sob determinadas condições, e são lembradas, "percebidas" em configurações. De modo similar ao da percepção, pelos processos ordenadores da memória, articulam-se limites entre o que lembramos, pensamos, imaginamos, e a infinidade de incidentes que se passaram em nossa vida. De fato, se não houvesse essa possibilidade de ordenação, se viessem anarquicamente à tona todos os dados da memória, seria impossível pensarmos ou estabelecermos qualquer tipo de relacionamento. Seria impossível funcionarmos mentalmente.

Surgindo por ordenações, a memória se amplia, o que não exclui especificidade maior. Além de renovar um conteúdo anterior, cada instante relembrado constitui uma situação em si nova e específica. Haveria de incorporar-se ao conteúdo geral da memória e, ao despertá-lo, cada vez o modificaria, modificaria-se em repercussões, redelineando lhe novos contornos com nova carga vivencial.

Nossa memória seria, portanto, uma memória não factual. Seria uma memória de vida vivida. Sempre com novas interligações e configurações, aberta às associações.

---

9. Daí presumir-se que a afetividade desempenhe um papel fundamental em processos de aprendizagem.

Associações

Provindo de áreas inconscientes do nosso ser, ou talvez pré-conscientes, as associações compõem a essência de nosso mundo imaginativo. São correspondências, conjeturas evocadas à base de semelhanças, ressonâncias íntimas em cada um de nós com experiências anteriores e com todo um sentimento de vida.

Espontâneas, as associações afluem em nossa mente com uma velocidade extraordinária. São tão velozes que não se pode fazer um controle consciente delas. Às vezes, ao querer detê-las, elas já se nos escaparam. Embora as associações nos venham com tanta insistência que talvez possam tender para o difuso, estabelecem-se determinadas combinações, interligando-se ideias e sentimentos. De pronto as reconhecemos como nossas, como sendo de ordem pessoal. Sentimos que, por mais inesperadas que sejam, as constelações associativas condizem com o que, individualmente, seria um padrão de comportamento específico nosso face a ocorrências que nos envolvam. Apesar de espontâneo, há mais do que certa coincidência no associar, há coerência.

As associações nos levam para o mundo da fantasia (não necessariamente a ser identificado com devaneios ou com o fantástico). Geram nosso mundo de imaginação. Geram um mundo experimental, de um pensar e agir em hipóteses – do que seria possível, se nem sempre provável. O que dá amplitude à imaginação é essa nossa capacidade de perfazer uma série de atuações, associar objetos e eventos, poder manipulá-los, tudo mentalmente, sem precisar de sua presença física.

O nosso mundo imaginativo será povoado por expectativas, aspirações, desejos, medos, por toda sorte de sentimentos e de "prioridades" interiores. Se é fácil deduzir-se a influência que exercem sobre a nossa mente, no sentido de encaminhar as associações para determinados rumos e renovar determinados vínculos com o passado, do mesmo modo é fácil saber que as prioridades interiores influem em nosso fazer e naquilo que "queremos" criar.

Falar, simbolizar

Grande parte das associações liga-se à fala, nela submerge e com ela se funde, pois muito do que imaginamos é verbal, ou torna-se verbal, traduz-se em nosso consciente por meio de palavras. Pensamos através da fala silenciosa.

Realmente pensa-se falando. Mas o pensar e falar só se tornam possíveis dentro do quadro de ideias de uma língua. Esta, por sua vez, está inserida no complexo de relacionamentos afetivos e intelectuais próprios de uma cultura. Assim, cada um de nós pensa e imagina dentro dos termos de sua língua, isto é, dentro das propostas de sua cultura. Quando se fala, recolhe-se desse acervo, de língua e de propostas possíveis, uma determinada parte que corresponde à experiência particular vivida. É o que se quer transmitir e, também, o que se pode transmitir. A fala se articula, portanto, no uso concreto da língua, uso sempre parcial porque adequado à área vivencial do indivíduo.

Usamos palavras. Elas servem de mediador entre o nosso consciente e o mundo. Quando ditas, as coisas se tornam presentes para nós. Não os próprios fenômenos físicos que, naturalmente, continuam pertencendo ao domínio físico; torna-se presente a noção dos fenômenos. Na língua, como em todos os processos de imaginação, dá-se um deslocamento do real físico do objeto para o real da ideia do objeto. A palavra evoca o objeto *por intermédio de sua noção*. Entretanto, qualquer noção já surge em nossa consciência carregada de certos conteúdos valorativos, pois, como todo agir do homem, também o falar não é neutro, não se isenta de valores. Orientado por um propósito básico seletivo e qualificador, o *falar* torna-se mais do que um assinalar, *torna-se um representar as coisas com seus conteúdos*, torna-se um *avaliar* e um *significar*.

As palavras representam unidades de significação. Sua função é variada, porquanto são variados os relacionamentos em que as palavras formulam o conhecimento que temos do mundo. Entre outros, podem funcionar como *signos* e *símbolos*. Nos relacionamentos semânticos, o signo se coloca anterior ao símbolo, cujo desdobramento associativo permanece em *aberto*. O signo aponta simultaneamente para dois planos da palavra, planos entre si diversos: para o seu aspecto sensorial, oral ou visual, isto é, para os sons ou a escrita ou a imagem de uma palavra (que a linguística denomina de *significante*), e para sua noção, isto é, para um conteúdo convencionado (na linguística, *significado*)[10]. Por exemplo: MÃO – sons articulados, e MÃO – objeto indicado pelos sons. Assim relacionada, numa relação que sempre é codificada e *fixa* a partir de quem a usa, indivíduo ou sociedade, a palavra desempenha a função de um *signo*. Quando, porém, o conteúdo é tomado numa dimensão mais ampla de generalização, quando no particular se entende também o universal, quando o conteúdo se desdobra por meio de noções associativas, as palavras funcionam como *símbolos*. O rapaz, pedindo a MÃO da moça, a pediria em casamento.[11]

---

10. DUBOIS, J. *Dictionnaire de Linguistique*. Paris: Larousse, 1973.
11. Nesse caso, além do signo linguístico comum, a palavra MÃO passou por um processo de figuração, onde a parte representa o todo, antes de chegar ao sentido simbólico: MÃO, convenção social do casamento.

Dando um nome às coisas, o homem as identifica e ao mesmo tempo generaliza. Capaz de perceber o que é semelhante nas diferenças e o que é diferente nas semelhanças, ele percebe a árvore, e, na árvore, *uma* árvore. Uma, de muitas árvores. Nas árvores, ele vê uma planta. Na planta, uma forma de vida. Assim o homem discrimina, compara, generaliza, abstrai, conceitua. Passa a compreender cada fenômeno como parte de um padrão de referências maior. Ser simbólico por excelência, ele concebe abrangências recíprocas: do único dentro do geral, do geral dentro do único.

O homem usa palavras para representar as coisas. Nessa representação, ele destitui os objetos das matérias e do caráter sensorial que os distingue, e os converte em pensamentos e sonhos, matéria-prima da consciência. Representa ainda as representações. Simboliza não só objetos, mas também ideias e correlações. Forma do mundo de símbolos uma realidade nova, novo ambiente tão real e tão natural quanto o do mundo físico[12].

Na percepção de si mesmo o homem pode distanciar-se dentro de si e imaginativamente colocar-se no lugar de outra pessoa. Em virtude do distanciamento interior, a expressão de sensações pode transformar-se na comunicação de conteúdos subjetivos. O homem pode falar *com* emoção, mas ele pode falar também *sobre* as suas emoções. Estende a comunicabilidade a conteúdos intelectuais. Ele pensa e pode falar sobre os seus pensamentos. Refletindo a respeito dos dados perceptivos do mundo, o homem pode formular ideias e hipóteses de crescente complexidade intelectual e comunicá-las aos outros como propostas de futuras atividades[13].

Ainda cabe mencionar outra capacidade unicamente humana. Ao homem torna-se possível falar, refletir e perfazer toda espécie de abstra-

---

12. CASSIRER, Ernst. *An Essay on Man*. New York: Doubleday & Co., 1944, p. 43: "Essa nova aquisição (a do sistema simbólico) transforma toda vida humana. Comparado com outros animais, o homem não só vive uma realidade mais ampla. Vive, por assim dizer, uma nova dimensão da realidade [...] O homem não pode escapar de suas realizações. Não pode senão adotar as condições de sua própria vida. Não vive apenas num universo físico, também vive num universo simbólico. A linguagem, o mito, a arte, a religião são partes desse universo [...] Não mais será possível confrontar a realidade de modo imediato, vê-la como se fosse de frente. *A realidade física parece recuar na medida em que a atividade simbólica avança*" (parênteses e grifos nossos).
13. GEHLEN, A. *Der Mensch, seine Natur und seine Stellung in der Welt*, Frankfurt, Fischer Bücherei,1950.
Essa última capacidade é vista, por linguistas antropológicos como Gehlen, desenvolver-se no ser social do homem, a partir de situações coletivas em que sempre teriam que unir-se os indivíduos do grupo para empreenderem tarefas e atividades comuns, indispensáveis à sobrevivência.

ções mentais porque, com sua percepção consciente, ele consegue dissolver situações globais em conteúdos parciais. Por exemplo, eu poderia encontrar uma pessoa na rua e nesse encontro notar certos detalhes, o tom de voz, determinados gestos, olhares, a roupa, a pressa com que caminha, ou outros aspectos isolados; talvez tais aspectos tornem o encontro significativo num sentido inteiramente imprevisto. Isto está fora das possibilidades dos animais, que reagem a situações globais concretas. Mas o homem é capaz de conceber os *componentes* de uma experiência. Destacados de um todo, os múltiplos componentes expressivos podem ser parcelados, podem ser codificados individualmente e podem ser recombinados para formarem outras totalidades. Neles, os mesmos componentes individuais configuram novos conteúdos. Veja-se como palavras idênticas podem entrar no vocabulário de pessoas diversas e, cada vez, transmitir conteúdos vivenciais diferentes. Ou então, por exemplo, a própria palavra; seus componentes fonéticos ou escritos terão outra significação quando ordenados diferentemente.

O homem dispõe de muitas línguas cuja configuração distinta – semântica, gramatical, fonética – expõe em cada caso particular um enfoque distinto sobre a vida. Corresponde ao mesmo tempo a uma espécie de prisma seletivo e normativo, propondo uma interpretação dos fenômenos da vida e, com isto, implicitamente, certos padrões culturais. Assim, cada língua encerra em si, em sua forma, uma atitude básica valorativa. Por isto é tão difícil traduzir. Nos vários modos de se enfocarem áreas de experiência humana e modos de participação social, nas muitas línguas, refletem-se os acervos de muitas culturas. Aliás, na multiplicidade de culturas tem-se observado um aspecto caracteristicamente humano[14].

As línguas são experiência coletiva, no sentido de nelas a experiência e a criatividade individual se tornarem anônimas. No mesmo sentido, as línguas são criação cultural; constituem o ambiente humano que age sobre o indivíduo, o qual por sua vez atua sobre o ambiente. Por isso, ainda que a capacidade de falar e de simbolizar seja um potencial inato, o aprendizado da fala implica um aprendizado cultural; o potencial natural da língua, cada indivíduo o realiza num dado contexto cultural. Molda sua experiência pessoal nas relações culturais possíveis. As formas

---

14. HEBERER, Gerhard; SCHWIDETZKY, Ilse & WALTER, Hubert. *Anthropologie*. Frankfurt; Fischer Taschenbuch Verlag, 1973, p. 108: "Existe uma multiplicidade de culturas vivas e extintas, de "formas típicas" em que os homens articularam e organizaram sua existência. Numericamente, estima-se essas formas no mí nimo em 3.000. [...] Não *a* cultura, e sim o pluralismo de culturas, das 'variadas possibilidades', é característico para a espécie humana. Em sua produção de culturas, o *homo* parece ter sido tão fértil quanto a própria natureza em sua produção de espécies" (citando neste texto o antropólogo W.E. Mühlmann).

concretas da fala poderão então variar até de geração para geração porque talvez sejam outras as relações culturais.

Formas simbólicas e ordenações interiores

As línguas constituem sistemas de comunicação verbal. Conquanto a fala seja da maior importância, fator fundamental de humanidade no homem, a nossa capacidade de comunicar conteúdos expressivos não se restringe às palavras; nem são elas o único modo de comunicação simbólica. Existem, na faixa de mediação significativa entre nosso mundo interno e o externo, outras linguagens além das verbais. Diríamos que, ao simbolizarem, as palavras caracterizam uma via conceitual. Essencialmente, porém, no cerne da criação está a nossa capacidade de nos comunicarmos por meio de ordenações, isto é, através de FORMAS.

No que o homem faz, imagina, compreende, ele o faz ordenando. Tudo se lhe dá a conhecer em disposições, nas quais as coisas se estruturam. Um abraço que recebamos, por exemplo. Imediatamente compreendemos estar diante de uma forma. Percebemos algum tipo de ordem que se estabelece. O abraço se ligará ao que talvez esperássemos acontecer e não aconteceu, a quem o deu e como foi dado, a toda uma sequência de fatos e sentimentos ocorrendo na ocasião. Fazem parte da ordenação percebida, da maneira como as coisas naquele momento se interligaram. Fazem parte, por isso, de seu significado. Mais do que um simples "abraço", teríamos um contexto que se configurou em torno de um conteúdo significativo e se nos comunicou através da forma precisa em que o percebemos.

Se a fala representa um modo de ordenar, o comportamento também é ordenação. A pintura é ordenação, a arquitetura, a música, a dança, ou qualquer outra prática significante. São ordenações, linguagens, formas; apenas não são formas verbais, nem suas ordens poderiam ser verbalizadas[15]. Elas se determinam dentro de outras materialidades. (Esse problema será abordado mais detalhadamente no capítulo seguinte.)

O aspecto relevante a ser considerado aqui é que, por meio de ordenações, se objetiva um conteúdo expressivo. *A forma converte a expressão subjetiva em comunicação objetivada.* Por isso, o formar, o criar, é sempre um ordenar *e* comunicar. Não fosse assim, não haveria diálogo. Na medida em que entendemos o sentido de ordenações, respondemos com outras ordenações que são entendidas, por sua vez, justamente no sentido de sua ordem.

---

15. Ainda que se verbalize a respeito delas. Pode-se falar, por exemplo, *sobre* uma pintura, *sobre* os vários tons de azul que nela entraram; mas a própria *ordenação* da pintura, isto é, sua forma, só poderá ser feita *com os vários tons de azul*, e não com palavras.

Qualquer tipo de ordenação torna-se significativa para nós. Ao percebê-la projetamos de imediato algum sentido ao evento. Uma rosa que se cheire, uma lama que se pise, uma porta que se bata. Mas somente quando na forma se estruturam aspectos de *espaço* e *tempo,* mais do que assinalar o evento, poderá a mensagem adquirir as qualificações de FORMA SIMBÓLICA. Definimos a seguir o que entendemos por FORMAS SIMBÓLICAS:

> São configurações de uma matéria física ou psíquica (configurações artísticas ou não-artísticas, científicas, técnicas, comportamentais) em que se encontram articulados aspectos *espaciais e temporais.* As figuras de espaço/tempo são percebidas como um DESENVOLVIMENTO FORMAL que contém sequências rítmicas, proporções, distanciamentos, aproximações, indicações direcionais, tensões, velocidades, intervalos, pausas.
> Tais figuras do espaço/tempo traduzem certos momentos dinâmicos do nosso ser, ritmos internos de vitalidade, de acréscimo ou declínio de forças, correspondendo ainda a certos estados de ânimo e de equilíbrio interior, entusiasmo, alegria, tristeza, melancolia, apatia, hostilidade, serenidade, agitação, etc.
> É em termos espaciais e temporais, ou seja, em termos de um *movimento interior,* que avaliamos a percepção de nós mesmos e nossa experiência do viver – não há outro modo de configurá-las em nós e trazê-las ao nosso consciente. Por isto, *as categorias de espaço e tempo são indispensáveis para a simbolização*[16]. Na maneira de se corresponderem o DESENVOLVIMENTO FORMAL e QUALIDADES VIVENCIAIS, concretiza-se o conteúdo expressivo da forma simbólica.

Através da estrutura formal, a mensagem simbólica sempre articula, além das associações possíveis em cada caso, modos de ser essenciais – justamente pelos aspectos de espaço/tempo – que são entendidos como qualificações de vida. Mobilizando-nos, as ordenações da forma simbólica rebatem em áreas fundas do nosso ser que também correspondem a ordenações. Trata-se, nessas ordenações interiores, de processos afetivos, ou seja, de formas do íntimo sentimento de vida. São as "nossas formas" psíquicas.

---

16. Certas sensações como o olfato, o gosto, a pressão, temperatura, em si são insuficientes para configurarem formas simbólicas – não há como articular com elas figuras de espaço/tempo. Evidentemente, tais sensações podem acompanhar uma mensagem e complementar o conteúdo expressivo incorporado na forma.

As "nossas formas" se constituem em referencial para avaliarmos os fenômenos, em nós e ao redor de nós. É o aspecto individual no processo criador, de unicidade dentro dos valores coletivos. Ainda que em cada pessoa as potencialidades se realizem em interligação com fatores externos, existem sempre fatores internos que não podemos desconsiderar. Existem como ordens integradas em uma individualidade, específicas a ela, e só a ela. Todo perceber e fazer do indivíduo refletirá seu ordenar íntimo. O que ele faça e comunique, corresponderá a um modo particular de ser que não existia antes, nem existirá outro idêntico. As coisas aparentemente mais simples correspondem, na verdade, a um processo fundamental de dar forma aos fenômenos a partir de ordenações interiores específicas.

Ao contrário, portanto, de teorias que não admitem contextos para a criação, vemos o ato criativo vinculado a uma série de ordenações e compromissos internos e externos.

Potencial criador

O potencial criador é um fenômeno de ordem mais geral, menos específica do que os processos de criação através dos quais o potencial se realiza. Salientamos o caráter geral, e indefinido até, do potencial, a fim de assinalar o sentido da definição que se efetua nos processos criativos, tomados aqui como processos ordenadores e configuradores.

Em cada função criativa sedimentam-se certas possibilidades; ao se discriminarem, concretizam-se. As possibilidades, virtualidades talvez, se tornam reais. Com isso excluem outras – muitas outras – que até então, e hipoteticamente, também existiam. Temos de levar em conta que uma realidade configurada exclui outras realidades, pelo menos em tempo e nível idênticos. É nesse sentido, mas só e unicamente nesse, que, *no formar, todo construir é um destruir*. Tudo o que num dado momento se ordena, afasta por aquele momento o resto do acontecer. É um aspecto inevitável que acompanha o criar e, apesar de seu caráter delimitador, não deveríamos ter dificuldades em apreciar suas qualificações dinâmicas. Já nos prenuncia o problema da liberdade e dos limites.

Quando se configura algo e se o define, surgem novas alternativas. Essa visão nos permite entender que o processo de criar incorpora um princípio dialético. É um processo contínuo que se regenera por si mesmo e onde o ampliar e o delimitar representam aspectos concomitantes, aspectos que se encontram em oposição e tensa unificação. A cada etapa, o delimitar participa do ampliar. Há um fechamento, uma absorção de circunstâncias anteriores, e, a partir do que anteriormente fora definido e delimitado, dá-se uma nova abertura. Da definição que ocorreu, nascem as possibilidades de diversificação. Cada decisão que se toma representa assim um ponto de partida, num processo de transformação que está sempre recriando o impulso que o criou.

O potencial criador elabora-se nos múltiplos níveis do ser sensível-cultural-consciente do homem, e se faz presente nos múltiplos caminhos em que o homem procura captar e configurar as realidades da vida. Os caminhos podem cristalizar-se e as vivências podem integrar-se em formas de comunicação, em ordenações concluídas, mas a criatividade como potência se refaz sempre. A produtividade do homem, em vez de se esgotar, liberando-se, amplia-se.

Tensão psíquica

A criatividade, como a entendemos, implica uma força crescente; ela se reabastece nos próprios processos através dos quais se realiza.

A título de análise formulamos aqui, sob o termo "tensão psíquica", uma noção de renovação constante do potencial criador. É um aspecto, a nosso ver, relevante para a criação.

Na realidade, no acúmulo energético necessário para levar a efeito qualquer ação humana, já se assinala a presença de uma tensão. No homem, em função de sua percepção consciente, o fenômeno não seria apenas de ordem física, e sim se faria sentir em repercussões psíquicas. Ainda mais quando se compreende o agir humano como um agir intencional. É possível, também, que, similar ao tônus físico, teríamos uma espécie de tônus psíquico, uma vitalidade elementar psíquica como condição ativa preexistente ao agir e indispensável a ele, e passível de intensificação. De todo modo, deve ficar entendido que nossa comparação entre tônus físico e psíquico é feita apenas no intuito de sugerir a possibilidade de formas correlatas; não pretendemos formular hipóteses sobre a origem ou a natureza da tensão psíquica. Importa-nos destacar sua função determinante nos processos criativos[17].

---

17. Mencionamos uma das teorias psicanalíticas, que tem a *agressividade* como mola motriz dos processos criativos. Segundo a psicanálise, a agressividade representaria um potencial energético presente nos impulsos instintivos (energias sexuais e agressivas do id, *Freud*). Seria inata no homem e faria com que o homem dispusesse de uma energia dirigida para fora a fim de poder reagir ao meio ambiente.
Essa energia, quando canalizada e elaborada para fins construtivos, através de processos de sublimação, forneceria o potencial criador. Quando frustrada, a energia se converteria em violência, isto é, em destruição.
Também cabe mencionar a posição do etólogo *Konrad Lorenz* que, em seus trabalhos sobre comportamentos animais, conclui ser a agressividade uma necessidade natural e social, premissa de convívio grupal.
Entendemos, contudo, que, embora tratando-se da problemática de estados de tensão em relação à criatividade, a discussão dos vários enfoques se coloca fora do âmbito do nosso trabalho.

Em cada atuação nossa, assim como também em cada forma criada, existe um estado de tensão. Sem ele não haveria como se saber algo sobre o significado da ação, sobre o conteúdo expressivo da forma ou ainda sobre a existência de eventuais valorações. Acompanhando o nosso fazer e impregnando-o com certas ênfases, a tensão psíquica se transmuda em forma física. Desempenha, assim, função a um tempo estrutural e expressiva, pois é em termos de *intensidade*, emocional e intelectual, que as formas se configuram e nos afetam.

Não se trata, necessariamente, na tensão psíquica, de um estado de espírito excepcional. Ao criar, ao ordenar os fenômenos de determinada maneira e ao interpretá-los, parte-se de uma motivação interior. A própria motivação contém intensidades psíquicas. São elas que propõem e impelem o fazer.

A tensão psíquica pode e deve ser elaborada. Assim, nos processos criativos, o essencial será poder concentrar-se e *poder manter a tensão psíquica*, não simplesmente descarregá-la. Criar, significa poder sempre recuperar a tensão, renová-la em níveis que sejam suficientes para garantir a vitalidade tanto da própria ação, como dos fenômenos configurados. Embora exista no ato criador uma descarga emocional, ela representa um momento de libertação de energias – necessário, mas de somenos importância do que certos teóricos talvez o acreditem ser. Mais fundamental e gratificante, sobretudo para o indivíduo que está criando, é o sentimento concomitante de reestruturação, de enriquecimento da própria produtividade, de maior amplitude do ser, que se libera no ato de criar. Menos a potência descarregada, do que a potência renovada[18].

Compreendemos, na criação, que a ulterior finalidade de nosso fazer seja poder ampliar em nós a experiência de vitalidade. Criar não representa um relaxamento ou um esvaziamento pessoal, nem uma substituição imaginativa da realidade; criar representa uma intensificação do viver, um vivenciar-se no fazer; e, em vez de substituir a realidade, é a realidade; é uma realidade nova que adquire dimensões novas pelo fato de nos articularmos, em nós e perante nós mesmos, em níveis de consciência mais elevados e mais complexos. Somos, nós, a realidade nova. Daí o sentimento do essencial e necessário no criar, o sentimento de um crescimento interior, em que nos ampliamos em nossa abertura para a vida.

A tensão psíquica é vista às vezes como conflito emocional. Em si, isso não invalida nossa tese de que qualquer processo criativo, produtivo, teria que supor um estado de tensão psíquica, uma vez que não há crescimento sem conflito – o conflito é condição de crescimento.

---

18. É essa uma das razões por que a arte, reduzida à terapia – como prática de se promover a vazão de tensões, de conflitos emocionais talvez – perde seu sentido artístico. Deixa de ser arte.

Pode acontecer, evidentemente, que no indivíduo a tensão psíquica chegue a se constituir quase que exclusivamente de conflitos emocionais e que estes assumam proporções tamanhas que em torno deles gire toda a existência afetiva de uma pessoa. Nesse caso, os conflitos podem tolher-lhe as potencialidades básicas. A pessoa então talvez nem seja mais capaz de criar; talvez não seja nem mesmo capaz de viver[19].

A propósito desse problema, não poderíamos omitir o caso de artistas cuja criatividade se desenvolveu não obstante graves conflitos emocionais (Proust, Kafka, Van Gogh, Gauguin, Munch). Esses conflitos têm sido vistos constituírem, de modo mais ou menos velado, parte essencial do conteúdo expressivo da obra artística (não tanto nas situações externas como na atitude implícita da pessoa diante do conflito).

Não acreditamos que seja o conflito emocional o portador da criatividade. O que o conflito faria, dada sua área e sua configuração particular em cada caso, ao intervir na produtividade de um artista, seria eventualmente propor a temática significativa por ser ela tão imediata e relevante para a pessoa. Poderia, também, junto ao assunto assim selecionado, influir na escolha, ainda que inconsciente, dos meios e das formas de configurar. Portanto, o conflito orientaria até certo ponto o quê e o como no processo criador. Mas o conflito pessoal não poderá em si ser confundido nem com o potencial criador existente na pessoa, nem com a capacidade de elaborar criativamente um conteúdo, ao contrário, o quanto existe de elaboração visível na obra artística, nos indica exatamente a medida de controle que o artista ainda pôde exercer sobre o seu conflito (em Van Gogh, por exemplo, isso fica patente).

Nesse sentido, um artista da estatura de Rainer Maria Rilke (1875-1927), grande poeta lírico da língua alemã do início de nosso século, no fundo temia fantasmas. Durante um longo período de inquietação (entre 1911 e 1922, incluindo, pois, os anos da primeira guerra mundial), marcado por certa improdutividade artística – "certa" improdutividade, pois, em verdade, não deixaram de ser anos produtivos – Rilke por várias vezes contemplou a ideia de se submeter à psicanálise. Desde cedo foi admirador de Freud, cujos pensamentos o fascinavam. Mas todas as vezes, também, rejeitou a ideia de se analisar, com o mesmo

---

19. Lembramos as teorias de uma suposta "libertação artística através da loucura", de uma "espontaneidade maior", teorias correntes entre nós alguns anos atrás. Discutidíssimas. Teorias ingênuas, românticas. Porque, em vez de libertar, a loucura acorrenta o indivíduo.
Exemplo trágico seria o do genial poeta alemão, Friedrich Hölderlin (1770-1843) em cuja obra a língua alemã renasce como de uma fonte pura. Hölderlin enlouquece aos 35 anos de idade. Ainda vive outros 38 anos, são de corpo, sem nunca mais escrever uma linha de poesia.

argumento: de que sua força criativa provinha de seus conflitos, e, caso os elaborasse conscientemente, comprometeria sua criatividade[20].

Na realidade, o receio era poder enfrentar as causas de seus conflitos. Pois, evidentemente, sua criatividade se identificava com o ser sensível e inteligente, com a riqueza espiritual e com tudo o que em si pudesse desdobrar de humanidade maior. Com esses recursos de sua personalidade, Rilke seria criativo, e não com o conflito pessoal, as carências afetivas e as inseguranças; o conflito poderia talvez até bloquear a realização das potencialidades.

O caso de Rilke está longe de constituir caso único. Nós todos temos os nossos medos. E sentimos que a criatividade envolve a nossa produtividade, nossa capacidade básica de dar, e de poder receber.

Um último problema a se considerar aqui é que, do momento que exista no indivíduo um determinado potencial, surge para esse indivíduo, *como necessidade interior*, a necessidade de exercer seu potencial e de realizá-lo em sentido criativo. Podendo realizá-lo, o indivíduo se realizaria; sua vida se tornaria mais rica e significativa.

De acordo com as afinidades, as aptidões e os íntimos interesses, cada pessoa sente em si, senão especificamente ao menos em termos gerais, em que áreas poderia caminhar para se desenvolver. Por onde deveria caminhar. *As potencialidades existentes constituirão sua própria motivação; serão uma proposta permanente do indivíduo, uma proposta de si para si.*

---

20. HOLTHUSEN, Hans Egon , *Rilke*. Berlim: Rowohlt Monographien, 1958, p. 22. Carta escrita por *Rilke* a *Lou-Andreas-Salomé*, datada de 24/01/1912 (grifos nossos): "Agora sei que a análise para mim só faria sentido se de fato eu levasse a sério esse pensamento estranho – o de não mais escrever – que, ao terminar o *Malte*, tão frequentemente me veio com uma espécie de alívio. Aí sim, poder-se-iam *exorcizar os demônios*. E se, com isso, *os anjos* possivelmente se evaporam, então haveria de se entendê-lo como uma simplificação das coisas, e de se dizer que, certamente, em qualquer ocupação nova (mas qual?) de nada serviriam".

II. Materialidade e imaginação criativa

O homem elabora seu potencial criador através do trabalho. É uma experiência vital. Nela o homem encontra sua humanidade ao realizar tarefas essenciais à vida humana e essencialmente humanas. A criação se desdobra no trabalho porquanto este traz em si a necessidade que gera as possíveis soluções criativas. Nem na arte existiria criatividade se não pudéssemos encarar o fazer artístico como trabalho, como um fazer intencional produtivo e necessário que amplia em nós a capacidade de viver. Retirando à arte o caráter de trabalho, ela é reduzida a algo de supérfluo, enfeite talvez, porém, prescindível à existência humana.

Em nossa época, é bastante difundido este pensamento: arte sim, arte como obra de circunstância e de gosto, mas não arte como engajamento de trabalho. Entretanto, a atividade artística é considerada uma atividade sobretudo criativa, ou seja, a noção de criatividade é desligada da ideia do trabalho, o criativo tornando-se criativo justamente por ser livre, solto e isento de compromissos de trabalho. Na lógica de tal pensamento, porém, o fazer que não fosse "livre" careceria de criatividade, passaria a ser um fazer não criativo. O trabalho em si seria não criador. Evidentemente, não é esse o nosso critério.

Imaginação específica

Nas múltiplas formas em que o homem age e onde penetra seu pensamento, nas artes, nas ciências, na tecnologia, ou no cotidiano, em todos os comportamentos produtivos e atuantes do homem, verifica-se a origem comum dos processos criativos numa só sensibilidade. São análogos os princípios ordenadores que regem o fazer e o pensar; na avaliação de resultados (em qualquer área) partimos de noções similares de desenvolvimento e de equilíbrio.

Embora os conceitos dinâmicos possam ser análogos, o *fazer concreto* apresenta particularidades distintas. Diferencia-se pelas propostas materiais a serem elaboradas em cada campo de trabalho, de acordo com o caráter da matéria. Diferencia-se, pois, segundo a materialidade em questão[1].

1. Usamos o termo MATERIALIDADE, em vez de matéria, para abranger não somente alguma substância, e sim tudo o que está sendo *formado e transformado*

Cada materialidade abrange, de início, certas *possibilidades de ação* e outras tantas *impossibilidades*. Se as vemos como *limitadoras* para o curso criador, devem ser reconhecidas também como orientadoras, pois dentro das delimitações, através delas, é que surgem sugestões para se prosseguir um trabalho e mesmo para se ampliá-lo em direções novas. De fato, só na medida em que o homem admita e respeite os *determinantes da matéria* com que lida *como essência de um ser*, poderá o seu espírito criar asas e levantar voo, indagar o desconhecido.

Formulamos aqui a ideia de a imaginação criativa vincular-se à especificidade de uma matéria, de ser uma "imaginação específica" em cada campo de trabalho. Haveria uma imaginação artística, uma imaginação científica, tecnológica, artesanal, e assim por diante. Referida à atividade, a imaginação ocorreria em formas específicas porque adequadas ao caráter da matéria, nas ordenações em que a compreende a mente humana.

A imaginação criativa levantaria hipóteses sobre certas configurações viáveis a determinada materialidade. Assim, o imaginar seria *um pensar específico sobre um fazer concreto*. Um carpinteiro, ao lidar com madeira, pensa em termos de trabalhos a serem executados em madeira. As possibilidades que ele elabora, mesmo no nível da conjetura, não seriam, por exemplo, possibilidades para um trabalho em alumínio, com elasticidades, espessuras, moldes possíveis no alumínio. Ainda que as propostas constituam inovações, envolvem possibilidades reais existentes na madeira, com acabamentos, resistências, flexibilidades, proporções adequadas à madeira, eventualmente, até, a determinado tipo de madeira.

Mas, por ser o imaginar um pensar específico sobre um fazer concreto, isto é, voltado para a materialidade de um fazer, não há de se ver o "concreto" como limitado, menos imaginativo ou talvez não criativo. Pelo contrário, o pensar só poderá tornar-se imaginativo através da concretização de uma matéria, sem o que não passaria de um divagar descompromissado, sem rumo e sem finalidade. Nunca chegaria a ser um imaginar criativo. Desvinculado de alguma matéria a ser transformada, a única referência do imaginar se centraria no próprio indivíduo, ou seja, em certos estados subjetivos desse indivíduo cujos conteúdos pessoais não são suscetíveis de participação por outras pessoas. Seria um pensar voltado unicamente para

---

pelo homem. Se o pedreiro trabalha com pedras, o filósofo lida com pensamentos, o matemático com conceitos, o músico com sons e formas de tempo, o psicólogo com estados afetivos, e assim por diante.

Usamos o termo na qualificação corrente "natureza do que é material" (*Grande Enciclopédia Delta-Larousse*. Rio de Janeiro: Delta, 1970), ampliando contudo o sentido de 'material'.

si, suposições alienadas da realidade externa, não contendo propostas de transformação interior, da experiência, nem mesmo para o indivíduo em questão.

Materialidade, linguagem

O que aqui chamamos de "pensar específico sobre um fazer concreto" vai além da ideia de uma tarefa a ser executada porque exequível. Os pensamentos e as conjeturas abragem eventuais significados. Trata-se de *formas significativas* em vários planos, tanto ao evidenciarem viabilidades novas da matéria em questão, quanto pelo que as viabilidades contêm de expressivo, e, ainda, porque através da matéria assim configurada o conteúdo expressivo se torna passível de comunicação.

Para dar um exemplo de significações da matéria, comparamos uma cadeira do século XVII, barroca, com uma cadeira gótica do século XII. Nessa comparação, tomamos conhecimento não só de configurações diferentes que foram dadas à madeira, mas também de outro ambiente espiritual a que correspondem as configurações, outros valores e outro conteúdo de vida até mesmo na função do objeto. A cadeira barroca, curvilínea e com ornamentos abundantes e retorcidos, com sua presença maciça apoderando-se do espaço físico, comunica-nos algo a respeito da vitalidade expansiva da época, do arrebatamento que existe ante formas que crescem e se desdobram, embora não se possa dizer da visão de vida barroca que nela a condição humana seja encarada com otimismo ou com equanimidade (já pelas tensões que se articulam no movimento exagerado). Na movimentação enfática, a expressão por vezes beira o teatral. Em tudo a cadeira barroca há de contrastar com a gótica, austera, mais reta e delgada, e ocupando um espaço físico menor. Ganhamos uma noção nítida do quanto a ideia medieval da espiritualidade – como valoração da vida a ser vivida – implicava uma renúncia à existência física. As próprias substâncias físicas eram destituídas, na medida do possível, de seus característicos corpóreos, por mil estiramentos, afinamentos, rompimentos, aberturas, até se tornarem quase filigranas transparentes apontando no incorpóreo a presença do sobrenatural.

A materialidade não é, portanto, um fato meramente físico mesmo quando sua matéria o é. Permanecendo o modo de ser essencial de um fenômeno e, consequentemente, com isso delineando o campo de ação humana, para o homem as materialidades se colocam num plano simbólico visto que nas ordenações possíveis se inserem modos de comunicação. Por meio dessas ordenações o homem se comunica com os outros.

Assim, através das formas próprias de uma matéria, de ordenações específicas a ela, estamos nos movendo no contexto de uma linguagem.

Nessas ordenações a existência da matéria é percebida num sentido novo, como realização de potencialidades latentes. Trata-se de potencialidades da matéria bem como de potencialidades nossas, pois na forma a ser dada configura-se todo um relacionamento nosso com os meios e conosco mesmo. Por tudo isso, o imaginar – esse experimentar imaginativamente com formas e meios – corresponde a um traduzir na mente certas disposições que estabeleçam uma *ordem maior*, da matéria, e ordem interior nossa. Indaga-se, através das formas entrevistas, sobre aspectos novos nos fenômenos, ao mesmo tempo que se procura avaliar o sentido que esses fenômenos novos podem ter para nós.

Elaboração

Traduzir em formas mentais, não significa necessariamente pensar com palavras, a não ser, é claro, que a materialidade em questão compreenda áreas verbais, literatura, poesia, filosofia, lógica. Mencionamos, no capítulo anterior, que a palavra é uma forma e, por ser forma, abrange níveis de significação. Mencionamos, também, que além das verbais existem outras formas. São ordenações de uma matéria, formas igualmente simbólicas cujo conteúdo expressivo se comunica. É nesses termos, de ordenações simbólicas, que incursiona o pensamento imaginativo.

Num depoimento, Einstein declara[2]: "As palavras ou a língua, escrita ou falada, parecem não ter função alguma no mecanismo do meu pensamento. As entidades psíquicas servindo como elementos no meu pensamento, são certos signos e imagens mais ou menos claros, que podem ser reproduzidos e combinados intencionalmente *(voluntarily)*. Naturalmente, há certa conexão entre esses elementos e conceitos lógicos relevantes. É claro, também, que o desejo de alcançar conceitos logicamente interligados constitui a base emocional desse jogo bastante livre *(rather vague play)* com os elementos acima mencionados. Contudo, do ponto de vista psicológico, esses jogos combinatórios parecem constituir o aspecto essencial do pensamento produtivo – antes que surja alguma ligação com construções lógicas verbais, ou outra espécie de signos que possam ser comunicados a outros".

Apesar da lúcida expressão verbal de Einstein, para quem não seja físico ou não lide com o pensamento matemático, será impossível imaginar as "entidades psíquicas" de que Einstein nos fala. E não menos impos-

---

2. GHISELIN, Brewster, *The Creative Process*. New York: Mentor Books, 1952, p. 43. Carta escrita por Einstein a Jacques Hadamard, respondendo a um questionário para *L'Enseignement Mathematique*.

sível será acompanhar a extensão do significado, ou os propósitos a que tenta chegar Einstein, quando organiza e reorganiza esses elementos a fim de lhes dar uma ordem, ou uma forma de equilíbrio, que tenha para ele mais sentido.

A mesma dificuldade existe para um leigo em música. Sem ter familiaridade com o pensamento musical e as formas musicais, é difícil apreciar os caminhos de elaboração imaginativa de um gênio como Bethoven. A ele decerto não faltavam facilidades musicais, haja vista as improvisações que, a pedidos, muitas vezes fazia por horas a fio. No entanto, levava anos trabalhando e retrabalhando suas obras. Nos cadernos que sempre trazia debaixo do braço anotava ideias, corrigia-as, rejeitava-as, recolocava-as, ampliava-as, modificava-as, e retomava-as novamente. Em que consistia esse trabalho? Quando desconhecemos a materialidade da música, e sobretudo não a vivenciamos enquanto materialidade, torna-se impossível ter noção do processo de criação musical porque ele é um problema de linguagem musical. Não sabemos o que em realidade significa "imaginar musicalmente".

É esta a dificuldade: imaginar o imaginar, imaginar as formas específicas em que se imagina. Lidamos com todo um sistema de signos que são referidos a uma matéria específica. As ordenações, físicas ou psíquicas, tornam-se simbólicas a partir de sua especificidade material. Não é possível traduzir nem parafrasear o processo imaginativo, porque transpor de uma matéria específica para outra desqualifica essa matéria e não qualifica a outra.

O único caminho aberto para nós, seria conhecer bem uma dada materialidade no próprio fazer. Com este conhecimento e com a nossa sensibilidade tentaríamos acompanhar analogicamente o fazer de outros; sempre, é claro, por analogias de estrutura, e não de operações mecânicas.

O pintor, por exemplo, não imagina em termos de palavras ou de pensamentos. De fato, nem imagina em termos de imagens, ou seja, imagens concluídas, quadros. Ele pode partir de ideias a respeito de pintura ou de outras coisas, ou pode partir de emoções, das quais nem sempre tem conhecimento consciente, ou, ainda, ele pode partir de temas literários, históricos, religiosos, de cenas visuais como paisagens, figuras humanas, objetos, natureza morta. Não é isso, entretanto, que corresponderá à imaginação pictórica. A imaginação do pintor consiste em ordenar, ou preordenar – mentalmente – certas possibilidades visuais, de concordâncias ou de dissonâncias entre cores, de sequências ou contrastes entre linhas, formas, cores, volumes, de espaços visuais com ritmos e proporções. Serão essas as propostas da materialidade específica com que o pintor lida, as propostas de sua linguagem. O termo corrente "imaginar" naturalmente é empregado também nas artes plásticas; deve ser entendido como referindo-se a hipóteses que, no caso particular da pintura, envolvem uma materialidade cujas entidades físicas e cujos recursos formais são de ordem visual.

Digamos que um pintor figurativo se proponha pintar o quadro de uma mulher sentada de costas, com um lacinho vermelho no cabelo. Pintando-a, o pintor teria que transpor para formas visuais a figura da mulher, sua posição na cadeira, a cadeira ou outros objetos no quarto, bem como o lacinho no cabelo. Essas formas visuais seriam vistas mentalmente, isto é, elas seriam imaginadas em ordenações mentais. O pintor optaria por determinados detalhes, excluiria outros. Em suas avaliações ele modificaria os dados da realidade com o intuito de alcançar um determinado equilíbrio, também por ora imaginado, entre os aspectos selecionados por ele. Certas relações formais poderiam até ser sugeridas pelo modelo. O lacinho vermelho, o próprio pintor poderia tê-lo colocado e arrumado no cabelo da mulher porque sentiu que naquela área do quadro ele precisava de duas linhas vermelhas diagonais, ligeiramente onduladas. Contudo, para essas linhas diagonais ele ainda teria que imaginar certas pinceladas, e para o vermelho do lacinho teria que imaginar certa tonalidade, talvez um tom de vermelho escuro ou claro, intenso ou baixo, mais frio ou quente. O lacinho, apesar de ser visto como objeto e mesmo como sugestão formal, como pintura seria imaginado pelo artista. Como pintura, faria parte de todo um conjunto imaginado, de cores, de tessituras, de acentuações e de ritmos visuais.

Quem já contemplou, encantado e comovido, um simples "modelo no estúdio" pintado por Corot (Baltimore Museum of Art, Baltimore), sabe o que significam caminhos imaginativos em busca de um lacinho vermelho.

Outro artista, observando o lacinho vermelho, talvez pudesse querer pintá-lo de azul. E não haveria por que não fazê-lo, se no conjunto da imagem ele precisar de duas diagonais azuis. Ele, então, imaginaria o lacinho vermelho como sendo azul. Como personalidade, cada um de nós individualiza a criatividade e exerce-a em termos individuais. Mesmo em épocas menos individualistas do que a nossa, na Idade Média, por exemplo, entre os muitos artistas anônimos que são conhecidos apenas por "Mestre"[3], percebemos uma individualidade distinta, apesar do anonimato e apesar do fato de, na época, a "originalidade" na arte ou em qualquer outra atividade não contar como qualidade, nem sequer como aspiração. Era

---

3. Por exemplo, Mestre dos Países Baixos Setentrionais, vivendo em torno de 1360, obras no Museu Real de Antuérpia; ou Mestre da Vestfália, 1250, obras no Museu Berlim-Dahlem; ou os muitos Mestres da Vida de Maria, da Lenda de Santa Úrsula, e de outras santas.

considerado importante poder seguir bem os preceitos já estabelecidos. Entretanto, mesmo nessa obra mais impessoal é possível reconhecer uma sensibilidade diferente em cada pintor, uma atitude seletiva diante das propostas do contexto cultural, não tanto na temática da pintura ou na interpretação iconográfica, quanto na maneira de pintar, nas ordenações, nas harmonias colorísticas, nas ênfases, ou seja, no enfoque manifesto na própria linguagem. Sem isso, seria de fato impossível atribuir a obra a determinadas personalidades. Na sensibilidade variável de cada um, na estrutura única de uma individualidade, a imaginação e a linguagem adquirem formas pessoais e subjetivas, até.

Daí não se conclui que a linguagem em si seja subjetiva. Ela é *objetivada* como ordenação essencial de uma materialidade. Essa objetivação da linguagem pela matéria constitui um referencial básico para a comunicação; é uma referência, antes de tudo, para os critérios de realização, os critérios de valor[4]. Ilumina no "como" de uma comunicação o "quê" da expressão, o conteúdo expressivo. Ilumina ainda no "como", na forma objetivada, a extensão do subjetivo que a forma também contenha.

A matéria objetivando a linguagem, é uma condição indispensável para podermos avaliar as ordenações e compreender o seu sentido. Observe-se, por exemplo, que, quando um quadro de Van Gogh é reproduzido em preto e branco, perdemos os caminhos de sua imaginação. Na ausência da cor, altera-se a especificidade da pintura. As relações formais, organizadas através de correspondências colorísticas, mudam de sentido formal e de conteúdo expressivo quando traduzidas para o preto e branco. Onde, digamos, no original se estabeleciam contrastes entre tons de vermelho e verde, na reprodução surgem transições entre tons cinzentos. Uma parte que na estrutura do espaço representava um clímax, agora torna-se detalhe secundário. Além disso, as pinceladas destituídas de cor orientam a ordenação do espaço para ritmos lineares, num grafismo que é próprio de desenho e pouco tem a ver com pintura. Perdendo a cor na matéria pictórica, perdemos a visão da experiência criativa de Van Gogh, de sua intensidade emocional e também de sua lucidez. Não temos como aferir a realização artística nem os níveis de controle que, à beira do abismo, Van Gogh ainda conseguia sustentar. Sem ter a matéria presente, isto é, sem condiçoes de objetivar a linguagem, as eventuais contribuições subjetivas se desvalorizam, ou seja, não chegam a se concretizar.

---

4. Nesse particular, discordamos totalmente da posição defendida por certos críticos de que não há mais critérios de valor e de que se trata de uma noção superada. A nosso ver, existem critérios, na arte como em toda e qualquer atividade humana. No fundo, evidentemente, negar critérios é um critério também.

Ampliação do imaginar

Passemos a considerar um outro ângulo da criatividade. A imaginação criativa foi definida por nós como um pensar específico sobre um fazer concreto. O pensamento se torna necessariamente específico ao indagar a natureza da matéria através de formas que são referidas a ela. Nesse processo, a especificidade se confunde com a ampliação de possibilidades. Acrescentamos aqui que isso jamais significa que à especificidade de propostas de pesquisa devam ou possam corresponder especializações em nosso vivenciar, compartimentos estanques na experiência da vida.

O contexto essencial, que não deve ser esquecido ou relegado, é o do homem. Todos os acontecimentos, tudo o que nos possa afetar e o que possamos querer saber, têm em comum *o homem e a cultura humana*. Estão ligados a partir do homem, através do homem, em relação ao homem. Estão ligados no vivenciar a vida que é global e não especializado.

A elaboração de possibilidades específicas da matéria permite que se alcancem maiores conhecimentos e um aprofundamento de trabalho. Um químico poderá ser criativo na química porque formula suas perguntas em termos de química e não porventura em termos de alquimia. Entretanto, se esse químico nada mais vê pela frente do que química, se todos os seus interesses e também os conteúdos de vida se resumem quase que exclusivamente em problemas de "especialista", especializações dentro de especialidades, de fato, ele há de viver uma enorme redução enquanto potencialidades humanas. E por maior que seja seu talento e sua eficiência, esse reducionismo poderá até esvaziar o sentido de criatividade que ele tenha dentro do trabalho profissional.

É bem verdade que, no nível da tecnologia moderna e das complexidades de nossa sociedade, exige-se dos indivíduos uma especialização extraordinária. Esta, todavia, pouco tem de imaginativo. De um modo geral restringe-se, praticamente em todos os setores de trabalho, a processos de adestramento técnico, ignorando no indivíduo a sensibilidade e a inteligência espontânea do seu fazer. Isso, absolutamente, não corresponde ao ser criativo.

Como experiência de vida e de trabalho, os processos de identificação com uma matéria, os processos de aprofundamento e de pesquisa que envolvem uma espécie de empatia com a essência de um fenômeno e nos quais se baseiam a imaginação e o pensamento criativo, não podem ser confundidos com a mentalidade mecânica e unilateral da superespecialização. Ainda que esta nos seja impingida pelo meio social em termos de necessidade profissional, não precisamos vê-la como virtude, como algum ideal aspirável em termos de realização humana. Do modo como está sendo colocada e com a falta de abertura, não passa de um reducionismo que exclui do viver toda experiência valorativa. *Exclui do viver o vivenciar*. Já por essa indiferença pelo real da vida, a atitude básica da superespecialização carece de qualificações criativas.

Reiteramos que a imaginação criativa nasce do interesse, do entusiasmo de um indivíduo pelas possibilidades maiores de certas matérias ou certas realidades. Provém de sua capacidade de se relacionar com elas. Pois, antes de mais nada, as indagações constituem *formas de relacionamento afetivo*, formas de respeito pela essencialidade de um fenômeno. À afetividade vinculam-se sentimentos e interesses que ultrapassam qualquer tipo de superespecialização. Ao mesmo tempo que se aprofunda na razão de ser de um fenômeno, essa afetividade implica uma amplitude de visão que permite muitas coisas se elaborarem e se interligarem, implica uma visão globalizante dos processos de vida. *A visão global dependerá da sensibilidade de uma pessoa*; mas, reciprocamente, para se transformar em capacidade criativa real, *a sensibilidade sempre dependerá dessa visão global*.

O vício de considerar que a criatividade só existe nas artes, deforma toda a realidade humana. Constitui uma maneira de encobrir a precariedade de condições criativas em outras áreas de atuação humana, por exemplo na da comunicação, que hoje se transformou em meros meios sem fins, sem finalidades outras do que comerciais. Constitui, certamente, uma maneira de se desumanizar o trabalho. Reduz o fazer a uma rotina mecânica, sem convicção ou visão ulterior de humanidade. Reduz a própria inteligência humana a um vasto arsenal de informações "pertinentes", não relacionáveis entre si e desvinculadas dos problemas prementes da humanidade. Nessas circunstâncias, como poderia o trabalho ser criativo? Pois não só se exclui do fazer o sensível, a participação interior, a possibilidade de escolha, de crescimento e de transformação, como também se exclui a conscientização espiritual que se dá no trabalho através da atuação significativa, e sobretudo significativa para si em termos humanos.

Enquanto o fazer humano é reduzido no nível de atividades não criativas, joga-se para as artes uma imaginária supercriatividade, deformante também, em que já não existem delimitações, confins de materialidade. Há um não comprometimento até com as matérias a serem transformadas pelo artista. Por isso mesmo, a arte permanece submersa num mar de subjetivismos.

O que, portanto, coloca-se aqui é que, para poder ser criativa, a imaginação necessita identificar-se com uma materialidade. Criará em *afinidade* e *empatia* com ela, na linguagem específica de cada fazer. Mas sempre conta a visão global de um indivíduo, a perspectiva que ele tenha do amplo fenômeno que é o humano, *o seu humanismo*. São seus valores de vida que dão a medida para seu pensar e fazer. Einstein, o grande gênio da física, também tocava violino e fazia filosofia.

Propostas culturais

Cada matéria pode ser desdobrada de múltiplas maneiras, encerra múltiplas possibilidades de indagação. Embora seja o indivíduo quem age, escolhe e define as propostas e ainda as elabora e as configura de um modo determinado, trata-se também, talvez antes de tudo, de uma questão cultural. Não só a ação do indivíduo é condicionada pelo meio social, como também as possíveis formas a serem criadas têm que vir ao encontro de conhecimentos existentes, de possíveis técnicas ou tecnologias, respondendo a necessidades sociais e a aspirações culturais.

A matéria vem interligar-se, de partida, com um contexto histórico que a caracteriza quanto a finalidades e formas. A simples existência de uma matéria usada pelo homem diz respeito a todo um conjunto de fatores sociais. Vejamos o bronze, por exemplo. Sua existência pressupõe um tipo de mineração, de cobre e estanho, alguma metalurgia, incipiente que seja, para fundir a liga de bronze, processos técnicos de moldagem que incluam moldes de barro, fornos ou, eventualmente, mais requintadas, as técnicas da "cera perdida"[5]. A organização social teria que poder suportar uma divisão de trabalho considerável, visto a mineração e o artesanato de bronze exigirem ocupação em horários prolongados para serem exercidos de modo eficiente. Outrossim, pressupõe a existência de propósitos culturais que pudessem demandar artefatos de bronze, quer como objetos de uso cotidiano (ferramentas, armas, objetos domésticos), quer no uso ritual. Algum tipo de intercâmbio comercial ou talvez cultural também pode ser inferido, pois nem sempre há minérios onde foram achados objetos de bronze.

As formas que encontramos e que, por assim dizer, foram "selecionadas" dentro de possibilidades latentes da matéria, são formas significativas da cultura. Referem-se a valorações culturais, valores tão generalizados e tão profundamente sentidos como parte da vida vivida que nem

---

5. Os modelos eram feitos em cera e eram revestidos de uma camada de cerâmica. O revestimento era provido de dois orifícios. Por um orifício se introduzia o metal fundido, pelo segundo escorria a cera derretida pela alta temperatura do metal. Enchendo todas as cavidades, o metal reproduzia fielmente o modelo nos mínimos detalhes. Ao final do processo e esfriado o bronze, o revestimento de cerâmica era simplesmente quebrado.
A era do bronze começa no Egito e na China em torno de 1800 a.C.

Ilustração II
VASO DE BRONZE chinês, período CHOU, aproximadamente século XI a.C.
Freer Gallery of Art, Washington D.C.

Ilustração III
CAVALEIRO COM ALABARDA, bronze chinês, período HAN, aproximadamente século II A.D.
Exposição e escavações arqueológicas da China
National Gallery of Art, Washington D.C.

precisam ser conscientizados no nível do intelecto. No começo deste capítulo, comparamos a forma da cadeira barroca com a da cadeira gótica. Exemplificando o material bronze, vejamos duas obras da arte chinesa. Ao observarmos *a* forma de um vaso de bronze do período Chou, século XI a.C., e comparando-a com a forma de uma escultura de bronze do período Han, século II d.C., um cavaleiro com alabarda datando de uns 1.300 anos mais tarde, constatamos nesses objetos uma unidade estilística deveras notável por se manter por tão longo tempo. Em sua forma global, ambos os objetos têm em comum certas características estruturais; ambos apresentam, apesar de feitio e subdivisões bastante diferentes, uma semelhança na projeção esférica geral "bojuda", na curvatura dos volumes, algo que, com todo vigor presente, ondula-se e suaviza os encontros entre o espaço articulado pelo artista (espaço do objeto) e o espaço do mundo natural. O confronto espacial nunca se torna agressivo nem ambíguo quanto ao âmbito cultural ou natural a que as formas se referem (compare-se com fetiches africanos pelas implicações mágicas dos vários detalhes). Tampouco há, como ocorre na arte japonesa, e ocupando um período cultural bem menor, um desenvolvimento para formas sofisticadas e altamente ritualizadas. Do ponto de vista formal, a arte chinesa permanece fluida e relativamente "simples". Talvez resulte daí o conteúdo expressivo de grande força conjugada à poesia, de uma transcendência contida no natural, de contemplação, embora atinja por vezes um distanciamento irônico (compare-se novamente com fetiches africanos, a cujo conteúdo expressivo jamais caberia atribuir qualidades de transcendente, contemplativo, irônico: é outra visão de vida).

Toda atividade humana está inserida em uma realidade social, cujas carências e cujos recursos materiais e espirituais constituem o contexto de vida para o indivíduo. São esses aspectos, transformados em valores culturais, que solicitam o indivíduo e o motivam para agir. Sua ação se circunscreve dentro dos possíveis objetivos de sua época. Assim, o conceito de materialidade não indica apenas um determinado campo de ação humana. Indica também certas possibilidades do contexto cultural, a partir de normas e meios disponíveis. Com efeito, para o indivíduo que vai lidar com uma matéria, ela já surge em algum nível de informação e já de certo modo configurada – isso, em todas as culturas; já vem impregnada de valores culturais.

Confins do possível

A materialidade seria, portanto, a matéria *com suas qualificações e seus compromissos culturais*. É ela, matéria cultural, que propõe *os confins do possível para cada indivíduo*.

Esses confins são relativos em si. Referem-se a matérias e a culturas que podem ser transformadas. Não são confins fixos nem permanentes. Contudo, constituem a cada momento o ponto de referência para a criação, posto que só em relação aos confins existentes seria possível avaliar a extensão do criativo na obra realizada.

Em cada manifestação vêm a se ampliar os confins. Acrescentam-se novos horizontes ao possível. As próprias materialidades se ampliam, e ampliam os conteúdos da ação humana. Todavia, os confins não se eliminam nunca. São eles que conferem à atuação humana a noção exata de liberdade, ou melhor, a noção de um processo de libertação.

Tomemos como exemplo um criador como Leonardo da Vinci (1452-1519). Nele se unia de modo excepcional a sensibilidade artística e a inteligência analítica do pesquisador e precursor da ciência moderna. De suas investigações nasceram mundos que na época foram raras vezes compreendidos e muito menos realizáveis. Na verdade, nem seria possível avaliar sua criatividade em termos só de imaginação ou dos próprios inventos; antes consideramos *a extraordinária capacidade de interligar os dados mais diversos, numa sistematização tão profunda, que abrangeria uma visão toda nova de vida*[6].

> Desde que os fenômenos são bem mais antigos do que os escritos dos homens, não é surpreendente não existirem em nossos dias relatos de como os mares cobriram tantas terras; e mesmo se tais relatos existissem, as guerras, as conflagrações, as enchentes, as mudanças de línguas e de leis já teriam consumido todo vestígio do passado. Mas é suficiente para nós o testemunho do que fora criado nas águas salgadas e encontrado novamente em montanhas altas, longe dos mares de hoje. [...] É preciso provar que a origem das conchas não pode ter sido outra senão em águas salgadas, pois verifica-se que quase todas as conchas têm uma conformação similar e, achando-se em quatro níveis na Lombardia ou outros lugares, que elas foram criadas em épocas diferentes. E todas as conchas encontram-se em vales que se abrem em direção ao mar [...][7] (LEONARDO DA VINCI).

6. O que, por exemplo, em Jules Verne, nunca se coloca nesses termos, não obstante sua viva imaginação.
7. RICHTER, Irma A. Selections from the *Notebooks of Leonardo da Vinci*, Londres: Oxford University Press, 1953, p. 27-28. [*Codex Earl of Leicester*, Holkham Hall, Norfolk].

Na convicção de uma suprema harmonia natural, Leonardo da Vinci, visionário, meteórico, passou sua vida apaixonadamente em busca de conhecimentos sobre as forças atuantes na natureza. No entanto, seu potencial singular, ele o exerceu em atividades que na época eram possíveis a um humanista, ao intelectual renascentista. Na dependência de patronos nobres, de príncipes ora esclarecidos ora déspotas, ou de *condottieri* que guerreavam, conquistavam, assassinavam e que morriam por sua vez assassinados, Lorenzo de Medici Il Magnifico, seu filho Giuliano de Medici, Ludovico Duque de Sforza Il Moro, Cesare Borgia, Charles D'Amboise, governador francês em Milão, Leonardo se transferia da corte de Florença para Milão, de Milão para Urbino, para Florença, para Roma, de volta para Milão, sempre em busca de trabalho e alguma medida de estabilidade.

> [...] espero poder estar aí, na Páscoa, e levar comigo dois quadros de Madona, de tamanhos diferentes. Foram executados para a nossa Majestade Cristianíssima (no caso, o rei de França, Luís XII) ou para quem aprouver a V. Excia. Estarei muito satisfeito em saber onde, na minha volta, poderei morar, pois não desejo causar-lhe maiores incômodos; também, tendo trabalhado para a Majestade Cristianíssima, queria saber se meu salário continuará a ser pago ou não [...][8] (LEONARDO DA VINCI).

Embora não lhe faltassem encomendas artísticas de importância, sendo solicitado por nobres, confrarias e municipalidades, nas cortes Leonardo fora empregado mais nas funções de um competente engenheiro-construtor encarregado de fortificações, estradas, canalizações, ou ainda na organização de festejos fidalgos, do que como o grande sábio e o pensador genial que era. De fato, vivia à mercê dos caprichos desses soberanos. Em seu livro, Irma Richter narra: "Sob pressão dos eventos políticos, em 17 de novembro de 1494 o Duque Ludovico enviou ao seu cunhado em Ferrara o bronze que se destinava à fundição do modelo do cavalo feito por Leonardo (uma estátua equestre monumental da qual hoje só existem estudos; o modelo foi reduzido a pó quando, na invasão dos franceses, os arqueiros usaram o cavalo como alvo de pontaria. – nota da autora), a fim de ser utilizado na fabricação de canhões. Nos cadernos de Leonardo acha-se a seguinte anotação um tanto obscura que se refere a uma representação alegórica dos dois duques (Ludovico e seu

8. Op. cit., p. 364. Rascunho de carta escrita por Leonardo, quando em Florença, a Antônio Maria Pallavicino, nobre milanês. *Codex Atlanticus*. Milão: Ambrosiana.

sobrinho, Gian Galeazzo, morto três semanas antes em circunstâncias que faziam suspeitar ter ele sido envenenado a mando de seu tio Ludovico. – nota da autora):

> Il Moro com óculos
> e a Inveja representada com Falsidade
> e Justiça Negra para Il Moro[9].

Encontramo-nos no mundo renascentista. Um mundo violento e conturbado, mundo de guerras intestinas e de invasões (França, Espanha), de ignorância, miséria, crueldades, pestes e epidemias, mas também mundo de transformações sociais, mundo de visionários, de pesquisadores e de artistas, mundo de grandes expectativas e de aberturas novas. Embora a criatividade de Leonardo seja tão arrebatadora e profética, que possa ser confundida com uma liberdade incondicional – ainda mais pelo fato de certas ideias e certos projetos só em séculos posteriores poderem ser postos em prática, a partir dos avanços da tecnologia –, em realidade, ele próprio não se situa fora de sua época. Antes identifica-se com ela. Cristaliza as aspirações da época a tal ponto que seu nome e humanismo se tornam praticamente sinônimos.

É claro que o contexto cultural em si não geraria a personalidade de Leonardo da Vinci. Pensar assim, seria formar um juízo demasiadamente determinista do desenvolvimento humano. Todavia, o contexto cultural, como substrato do ser individual do homem, fornece determinadas condições que permitem a manifestação e talvez até a realização de certas propostas que em outras épocas seriam inconcebíveis.

> Todo conhecimento nosso origina-se em nossas percepções. – Leonardo da Vinci[10].

O contexto do Renascimento já permite uma visão como a de Leonardo, assim como também permite o humanismo. A concepção renascentista contém um enfoque racionalista do universo e da vida, contém a possibilidade de se observá-los e conotá-los pela razão (não só pela fé). Contém, além disso, a possibilidade de vir surgindo um individualismo na ideia de potencialidades do indivíduo a se realizarem a partir de suas próprias determinações e seus próprios méritos, rompendo de vez nesse

---

9. RICHTER, Irma A. Op. cit., p. 319.
10. RICHTER, Irma A. Op. cit., p. 4. *Codex Trivulzi*. Milão: Castelo Sforzesco.

contexto mais flexível do Renascimento com a rígida estratificação medieval. É bem verdade que, concomitantemente, inicia-se um distanciamento entre o ser individual e o ser social do homem, uma separação que em nossa época viria a culminar em um conflito existencial para os indivíduos.

Um ponto ao qual queremos dar destaque é a personalidade criativa como manifestação da pessoa íntima de Leonardo da Vinci. Ele próprio parece ter sido contemplado com grande beleza física e um encanto todo especial na delicadeza e na vivacidade do seu ser, com um temperamento nada agressivo (nisso contrastando com Miguelângelo) e de certo modo até indefeso ante a violência da época em que vivia[11]. Se já é extraordinário seu espírito brilhante, na amplitude de interesses que sua inteligência abrange e nas explorações que faz em profundidade, não menos extraordinária é a integração da personalidade. As múltiplas facetas criativas da busca intelectual e da experiência sensível nele se complementam e se integram em uma síntese. Essa síntese não é nenhuma teoria ou abstração, é a filosofia de vida de Leonardo, sua postura interior, o cerne do ser ativo e contemplativo. O pesquisador procura desvendar os mistérios da natureza e compreender o significado de formas em que se externam as leis universais, e o artista vivencia as conclusões intelectuais, comove-se com a beleza dos significados percebidos:

> Assim como uma pedra jogada na água se torna o centro e a causa de muitos círculos, assim como o som se propaga no ar em círculos, assim qualquer objeto colocado na atmosfera luminosa se difunde em círculos e preenche o espaço circunfluente com infinitas imagens de si[12] (LEONARDO DA VINCI).

Há em Leonardo da Vinci uma tal unidade de vida e de vivência, do fazer, saber e sentir, as atividades artísticas e científicas interpenetrando-se em todos os níveis de consciência e umas enriquecendo as outras, que não cabe realmente o comentário de Freud sobre um processo "re-

11. Um detalhe apenas, porém significativo: Leonardo era vegetariano por convicção, por amor ao que vive.
RICHTER, Irma A. Op. cit., p. 382: "Numa carta datada de 1515 e endereçada a Giuliano de Medici, Andréa Corsali comenta o encontro com pessoas bondosas, chamadas Guzzati, que se recusavam a comer carne que continha sangue, por não quererem atentar contra qualquer ser vivo 'assim como o nosso Leonardo da Vinci'..."
12. RICHTER, Irma A. Op. cit., p. 203: Paris: Biblioteca do Institut de France.

gressivo"[13] que se teria verificado em Leonardo, porque este em seus últimos anos se dedicasse mais a projetos científicos do que à arte e consequentemente estivesse perdendo em pujança criativa. Não apenas a afirmação de Freud implica que o setor artístico seria "mais criativo" do que o setor científico ("o artista antes empregara o pesquisador como seu servo, agora o servo se tornou o mais forte e subjugou o seu mestre"),[14] como a distinção de categorias criativas separando a visão artística da científica, no caso de Leonardo, não faz sentido.

Na obra tardia de Leonardo da Vinci, as figuras humanas, os anjos e a virgem aparentam traços físicos andróginos. Essa caracterização tem sido interpretada como expressão de tendências homossexuais. É bem possível que as tendências existam. Mas ver a obra nesses termos é, no fundo, não vê-la; é elaborar um diagnóstico a partir de um referencial alheio à linguagem ou ao contexto da obra e é, por essa razão, o que se chama de "interpretação literária" sem maior interesse a não ser para aqueles que a buscam, uma vez que nada acrescenta a nossa compreensão do conteúdo expressivo da obra. As significações que a obra tem, que ela a um tempo funde e comunica, só podem ser compreendidas respeitando-se os termos de linguagem usados por Leonardo. Referida às ordenações espaciais que existem no quadro, a imagem unificada dos dois sexos se insere no contexto de uma simbolização global que tem por base uma determinada visão de vida – no mesmo simbolismo com que, em graduações quase que imperceptíveis, o claro e o escuro são vistos não como estados antagônicos e sim como estados complementares, numa síntese que infunde tanto o sorriso da Mona Lisa como toda a paisagem em sua volta. Nessa visão de vida, de unidade e ulterior harmonia em que se revelavam, para Leonardo, as forças cósmicas

---

13. FREUD, Sigmund. *Das Unbewusste* – Eine Kindheitserinnerung des Leonardo da Vinci. Berlim–Darmstadt–Viena: Deutsche Buchgemeinschaft, 1963, p. 180: "...ein Vorgang, den man nur den Regressionen bei Neurotikern ati die Seite stellen kann". E na mesma página: "diese regressive Ersetzung".
14. FREUD, Sigmund. Op. cit., p. 131.
Cf. também o seguinte trecho, à p. 179: "Seu nascimento como filho natural o priva da influência do pai e o deixa entregue à sedução carinhosa de uma mãe, como consolo único. Dela criado e alimentado com beijos *(emporgeküsst)* à precocidade sexual, deve ter entrado numa fase de atividade sexual infantil de cuja intensidade só temos uma única manifestação segura. As tendências de querer ver e saber são por demais excitadas por suas impressões de primeira infância e a zona erógena oral recebe uma ênfase que nunca mais perde. Do comportamento posterior oposto, como, por exemplo, da compaixão exagerada que demonstrava por animais, podemos deduzir que no período infantil nunca lhe faltaram traços fortemente sádicos".

Ilustração IV
A VIRGEM DAS ROCHAS, detalhe de fundo, LEONARDO DA VINCI (1452-1519)
Museu do Louvre, Paris

e os mínimos aspectos particulares do acontecer universal, a caracterização física humana faz parte da caracterização física dada ao quadro todo e pode ser compreendida como símbolo de uma fusão ideal, vista no nível da existência humana.

O clima de abertura à vida e os questionamentos amplos que se tornaram possíveis no Renascimento, as conquistas do individualismo, mas também a vulnerabilidade do indivíduo, Leonardo da Vinci os configura em sua obra artística de um modo intensamente místico – num misticismo não religioso[15] –, onde se acentua o assombro dos mistérios da existência a se aprofundarem ante o conhecimento humano.

> A natureza é plena de causas infinitas que nunca ocorreram na experiência[16] (LEONARDO DA VINCI).

Num mundo submerso em penumbras, entre sombras e luz, surgem sobretons trágicos; refletem a visão de vida que se tornara crescentemente trágica. À sublime beleza do viver justapõe-se o sentido da solidão essencial ante o destino.

Esse ensaio dá uma impressão curiosa de tratar-se de um caso clínico hipotético. Leonardo da Vinci existe como um personagem mas não como pessoa, e tampouco o contexto histórico com seus problemas concretos, sociais, políticos, culturais parece afetar o desenvolvimento e os valores da pessoa. A situação é de mitos: 'um' filho, "um" pai, "uma" mãe, ou aliás, duas mães.
O livro é rico em hipóteses e interpretações; no entanto, não leva em consideração os dados concretos expressivos que existem, isto é, as formas estilísticas da obra de Leonardo, a maneira dele falar e os conteúdos vivenciais sobre os quais fala. O problema é que Freud buscava, nas artes plásticas, a representação de objetos e não a configuração de um conteúdo significativo em termos visuais. Via o sorriso, isoladamente, e não via o conjunto do quadro. "Com o sorriso enlevado de Sant'Ana, o artista deve ter negado e encoberto a inveja que a infeliz (a mãe verdadeira de Leonardo – nota da autora) sentiu quando teve que entregar à rival o marido e mais tarde também o filho." Op. cit., p. 164.

15. RICHTER, Irma A. Selections from the *Notebooks of Leonardo da Vinci*. Londres: Oxford University Press, 1953, p. 288: "O seguinte depoimento apareceu na primeira edição do livro de Vasari, *Vida de Leonardo*, 1550, sendo suprimido na segunda edição: 'Leonardo era de espírito tão herege que não praticava nenhuma religião, achando talvez melhor ser filósofo do que cristão'..."

16. RICHTER, Irma A. Op. cit., p. 7. *Codices Poster*. Londres: Biblioteca do Victoria & Albert Museum.

> Entre as grandes coisas que são encontradas entre nós, a existência do NADA é a maior. Ele reside no tempo e abrange com seus membros o passado e o futuro, absorve todas as obras que se passaram e aquelas que ainda estão por vir, tanto da natureza como dos animais[17] (LEONARDO DA VINCI).

Aos 64 anos, Leonardo aceita o convite do rei Francisco I, da França, amante das artes, para viver no castelo de Cloux. Morre três anos mais tarde, em 1519.

Formar e transformar

Formar importa em *transformar*. Todo processo de elaboração e desenvolvimento abrange um processo dinâmico de transformação, em que a matéria, que orienta a ação criativa, é transformada pela mesma ação.

Transformando-se, a matéria não é destituída de seu caráter. Pelo contrário, ela é mais diferenciada e, ao mesmo tempo, é definida como um modo de ser. Transformando-se e adquirindo forma nova, a matéria adquire unicidade e é reafirmada em sua essência. Ela se torna matéria configurada, *matéria-e-forma*, e nessa síntese entre o geral e o único é impregnada de significações.

Daí se nos apresenta outro aspecto que tanto nos fascina no mistério da criação: ao fazer, isto é, ao seguir certos rumos a fim de configurar uma matéria, o próprio homem com isso se configura.

Quando vemos uma jarra de argila produzida há 5 mil anos por algum artesão anônimo, algum homem cujas contingências de vida desconhecemos e cujas valorizações dificilmente podemos imaginar, percebemos o quanto esse homem, com um propósito bem definido de atender certa finalidade prática, talvez a de guardar água ou óleo, em moldando a terra moldou a si próprio. Seguindo a matéria e sondando-a quanto à "essência de ser", o homem impregnou-a com a presença de sua vida, com a carga de suas emoções e de seus conhecimentos. Dando forma à argila, ele deu forma à fluidez fugidia de seu próprio existir, captou-o e configurou-o. Estruturando a matéria, também dentro de si ele se estruturou. Criando, ele se recriou.

Em todas as matérias com que o homem lida se fará sentir sua ação simbólica. Em todas as linguagens, ao articular uma matéria, o homem deixa a sua marca, simboliza e indaga, movido por sua pergunta

---

17. RICHTER, Irma A. Op. cit., p. 276. *Codex Atlânticas*. Milão: Ambrosiana.

Ilustração V
JARRO NEOLÍTICO, barro cozido, aproximadamente 5.000 anos.
Cultura Hamangia.
Museu de Constança, Romênia

ulterior, que é pelo sentido do viver. Rearticulada, a matéria retorna ao homem. Na forma configurada, cada pergunta encerra uma resposta.

Raras vezes, é verdade, temos condições de decifrar a resposta em sua original extensão. Seja porque desconhecemos as codificações da matéria, seja porque, ao longo dos milênios e fora da realidade social em que foram formuladas as respostas, perdeu-se para a nossa vivência a multiplicidade de áreas associativas. Seja também porque, ao recriar as formas em nossa percepção, nós as modificamos, subjetivamente, com nosso enfoque vivencial, projetando nossas experiências e nossos valores para épocas e mentalidades bem diferentes das nossas. Entretanto, com todas as distorções inevitáveis, ainda nos resta um núcleo, áreas centrais de significado onde, na matéria formada, vislumbra-se a figura de um homem que responde – ele fala sobre si, sobre sua vida, sobre seus valores de viver.

É isso que cala tão profundamente em nós. Compreendemos que todos os processos de criação representam, na origem, tentativas de estruturação, de experimentação e controle, processos produtivos onde o homem se descobre, onde ele próprio se articula à medida que passa a identificar-se com a matéria. São transferências simbólicas do homem à materialidade das coisas e que novamente são transferidas para si.

Formando a matéria, ordenando-a, configurando-a, dominando-a, também o homem vem a se ordenar interiormente e a dominar-se. Vem a se conhecer um pouco melhor e a ampliar sua consciência nesse processo dinâmico em que recria suas potencialidades essenciais.

Em consequência, e abstraindo-nos, pelo momento, de circunstâncias históricas que possam favorecer ou não a plena realização do potencial humano, queremos dizer que *a criatividade e os processos de criação são estados e comportamentos naturais da humanidade*. São naturais, no sentido do próprio e também do espontâneo em que todo fazer do homem torna-se um formar.

A criatividade é, portanto, inerente à condição humana.

III. Caminhos intuitivos e inspiração

Em dados momentos de nossa vida, a criatividade parece afluir quase que por si e dotar nossa imaginação com um poder de captar de imediato relacionamentos novos e possíveis significados. Representam circunstâncias especiais, sem dúvida importantes, em que nos sentimos mais produtivos e mais criativos. Vista em sua dinâmica, porém, a criatividade não deixa de abranger o processo total de nossa vida, e tanto os momentos que consideramos necessários ou "desnecessários" alimentam a nossa sensibilidade com múltiplas cargas emotivas e intelectuais.

O impulso elementar e a força vital para criar provêm de áreas ocultas do ser. É possível que delas o indivíduo nunca se dê conta, permanecendo inconscientes, refratárias até a tentativas de se querer defini-las em termos de conteúdos psíquicos, nas motivações que levaram o indivíduo a agir.

Além dos impulsos do inconsciente, entra nos processos criativos tudo o que o homem sabe, os conhecimentos, as conjecturas, as propostas, as dúvidas, tudo o que ele pensa e imagina. Utilizando seu saber, o homem fica apto a examinar o trabalho e fazer novas opções. O consciente racional nunca se desliga das atividades criadoras; constitui um fator fundamental de elaboração. Retirar o consciente da criação seria mesmo inadmissível, seria retirar uma das dimensões humanas[1].

Processos intuitivos

Na verdade, porém, o ser humano não pode ser considerado em partes, só pode ser considerado como um todo integrando as suas partes. Se decerto não cabe negligenciar as várias contribuições específicas nos processos criativos, tampouco cabe atribuir função predominante seja ao

---

1. Essa afirmação pode parecer redundante. Mas veja-se, nas artes plásticas, o movimento da *action-painting*, a chamada "arte informal" a iniciar-se na década de 1950, nos EUA, em torno do pintor Jackson Pollock (1912-1956).
Ainda sob a influência do surrealismo europeu e descrente, talvez em consequência da Segunda Guerra Mundial, da racionalidade no homem, esse movimento

inconsciente seja ao consciente. O ato criador, sempre ato de integração, adquire seu significado pleno só quando entendido globalmente.

Assim como o próprio viver, o criar é um processo existencial. Não abrange apenas pensamentos nem apenas emoções. Nossa experiência e nossa capacidade de configurar formas e de discernir símbolos e significados se originam nas regiões mais fundas de nosso mundo interior, do sensório e da afetividade, onde a emoção permeia os pensamentos ao mesmo tempo que o intelecto estrutura as emoções. São níveis contínuos e integrantes em que fluem as divisas entre consciente e inconsciente e onde desde cedo em nossa vida se formulam os modos da própria percepção. *São os níveis intuitivos do nosso ser.*

Convém notar que o intuitivo não se confunde com o instintivo. São essencialmente diferentes.

Segundo os conhecimentos de hoje, o ser humano é considerado um ser "pouco instintivo". Concebe-se, como herança genética do homem, certas tendências instintivas, predisposições, cuja fixação e codificação se estabelecem dentro dos contextos culturais em que se desenvolve o indivíduo. É precisamente pela ausência de comportamentos rígidos instintivos que se explica a imensa flexibilidade e adaptabilidade do homem, em suas reações face a desafios sempre novos do meio ambiente natural, na aprendizagem cultural e em todas as manifestações mentais.

A intuição vem a ser *dos mais importantes modos cognitivos* do homem. Ao contrário do instinto, permite-lhe lidar com situações novas e inesperadas. Permite que, instantaneamente, visualize e internalize a ocorrência de fenômenos, julgue e compreenda algo a seu respeito. Permite-lhe agir espontaneamente.

A ação espontânea intuitiva não é um ato reflexo ante um acontecimento, embora eventualmente inclua atos reflexos. Cabe ver, nessa ação intuitiva, mais do que a reação de um organismo humano: ela é reação de uma personalidade humana; e mais do que uma reação, ela é sempre uma ação. A ação humana encerra formas comunicativas que são pessoais e ao mesmo tempo são referidas à cultura. Com isso se distingue o ato intuitivo do instintivo.

A intuição está na base dos processos de criação.

---

postulava o *automatismo* do gesto como premissa e princípio de criação. O gesto automático, involuntário, era tido como ação diretamente oriunda do inconsciente e, assim excluindo o consciente, devia garantir a autenticidade espontânea da obra. Aliás, a proposta em si é significativa: ela é impossível; é impossível excluir, voluntariamente, a vontade.

Ordenações perceptivas

O que caracteriza os processos intuitivos e os torna expressivos é a qualidade nova da percepção. É a maneira pela qual a intuição se interliga com os processos de percepção e nessa interligação reformula os dados circunstanciais, do mundo externo e interno, a um novo grau de essencialidade estrutural, de dados circunstanciais tornam-se dados significativos. Ambas, intuição e percepção, são modos de conhecimento, vias de buscar certas ordenações e certos significados. Mas, ao notar as coisas, há um modo de captar que nem sempre vem ao consciente de forma direta. Ocorre numa espécie de introspecção que ultrapassa os níveis comuns de percepção, tanto assim que o intuir pode dar-se em nível pré-consciente ou subconsciente.

Vejamos, porém, primeiro alguns aspectos da percepção. Ela envolve um tipo de conhecer, que é um apreender o mundo externo junto com o mundo interno, e ainda envolve, concomitantemente, um interpretar aquilo que está sendo apreendido. Tudo se passa ao mesmo tempo. Assim, no que se percebe, interpreta-se; no que se apreende, compreende-se. Essa compreensão não precisa necessariamente ocorrer de modo intelectual, mas deixa sempre um lastro dentro de nossa experiência.

Enquanto identificamos algo, algo também se esclarece para nós e em nós; algo se estrutura. Ganhamos um conhecimento ativo e de autocognição, uma noção que, ao identificar as coisas, ultrapassa a mera identificação. Em qualquer situação em que nos encontremos, por exemplo, haverão de surgir inúmeros dados, dos quais alguns talvez já nos sejam familiares, outros novos, alguns talvez desconexos e outros até mesmo insólitos. No entanto, de modo aparentemente misterioso, de pronto os unimos. Os dados serão vistos em conjunto, pertencentes à situação à qual também nós pertencemos. E, em conjunto, serão interligados e avaliados: os dados, as várias ligações conosco, bem como as ligações entre ligações. Serão percebidos como a trama de um evento em cuja *ordenação interior* compreendemos consistir o conteúdo da situação.

A título de ilustração, pense-se numa cena tão corriqueira como entrar numa padaria a fim de comprar uma bisnaga de pão. Já é tarde, estamos cansados e a padaria está cheia de pessoas. Quantos momentos diferentes serão captados por nós num simples relance. Momentos externos e internos, fatos e sensações, ainda integrando-se o quase-percebido e o mal-percebido. Quantos relacionamentos mentais serão feitos instantaneamente para podermos avaliar os dados existentes na situação, julgá-los em relação a nossos desejos e "perceber", entre outras coisas, se vai ser possível atrair a atenção do vendedor e formular nosso pedido.

No conjunto de relacionamentos revela-se uma ordem significativa para nós, ela encerra a proposta para nossa ação. Esses relacionamentos mentais refletem mais do que apenas associações. Não há dúvida de que o fenômeno associativo sempre existe, porquanto em qualquer acontecimento de pronto se desencadeia em nossa mente uma série de ideias e emoções como parte integrante do nosso pensar. Contudo, o próprio ato de apreender as associações, no instante em que se dá a apreensão de um evento, também ocorre como um processo ordenado. Por isso conseguimos perceber as associações.

O que percebemos, então, é apreendido em ordenações, e *como o* percebemos, são outras tantas ordenações. Tudo participa de um mesmo processo ordenador. O perceber é um estruturar que imediatamente se converte em estrutura. É um perene formar de formas significativas.

Imagens referenciais

Desde cedo, organizam-se em nossa mente certas imagens. Essas imagens representam disposições em que, aparentemente de um modo natural, os fenômenos parecem correlacionar-se em nossa experiência. Dissemos "aparentemente natural" porque desde o início interligamos as disposições que se formam com atributos qualitativos que lhes são estendidos pelo contexto cultural.

As disposições, imagens da percepção, compõem-se, a rigor, em grande parte de valores culturais. Constituem-se em ordenações "características" e passam a ser normativas, qualificando a maneira por que novas situações serão vivenciadas pelo indivíduo. Orientam o seu pensar e imaginar. Formam *imagens referenciais* que funcionam ao mesmo tempo como uma espécie de prisma para enfocar os fenômenos e como medida de avaliação.

Damos a seguir dois exemplos, um do Egito antigo e outro da África atual.

Em seu livro *Before Philosophy*, Henri Frankfort comenta[2]: "O fato central do Egito é o Nilo que corre em direção ao norte. Traz a água necessária à vida. A palavra egípcia 'ir ao norte' significa simultaneamento 'ir rio abaixo', enquanto 'ir ao sul' significa 'ir rio acima', ou seja, contra a corrente. Quando os egípcios chegaram a conhecer um outro rio, o Eufrates, que corria em direção ao sul, só podiam expressar sua

---

2. FRANKFORT, Henri et al. *Before Philosophy*. Harmonsdsworth/Middlesex: Penguin Books, 1949, p. 46.

surpresa por esse contraste, chamando o rio de 'aquela água que corre rio abaixo indo rio acima'".

Para os egípcios da época, portanto, a imagem referencial era a do Nilo. Essa imagem referenciava não só a orientação no espaço físico, mas também fenômenos que não ocorriam no Egito, a chuva, por exemplo. A chuva era tida como "um Nilo caindo do céu em terras de estrangeiros, fazendo ondas por cima de suas montanhas e molhando seus campos e suas cidades". *Um* Nilo. Não *o* Nilo. Sabia-se perfeitamente que "o verdadeiro Nilo vinha de um mundo subterrâneo para os egípcios"[3].

O segundo exemplo é retirado do "Estudo do problema de percepção pictórica em grupos não aculturados"[4] (nesse caso, obviamente, à cultura ocidental).

Entre várias pesquisas feitas por ingleses, psicólogos educacionais, uma visava à interpretação de imagens didáticas. O tema, aqui, é uma campanha de prevenção de acidentes de trabalho. O material testado se compunha de seis cartazes coloridos, executados dentro de várias técnicas de representação (cenas simples, múltiplas, séries, historinhas, etc.). Os cartazes foram apresentados a 250 operários negros, na África do Sul, procedentes de áreas rurais e urbanas. Em termos de escolaridade, havia desde analfabetos até os que tinham terminado os estudos de ginásio.

Citamos dois trechos do relatório da pesquisa[5], que além de interessante é engraçado:

> Na última subcena, numa sequência de comportamentos assinalados como "corretos", um operário é representado recebendo seu salário com uma das mãos. Para o operário negro na África do Sul, esse gesto tem conotações opostas. É costume receber coisas com as duas mãos, e dar com uma mão. Assim, a moral da história foi obscurecida por um lapso acidental, já que, no cartaz, o receptor do salário era visto, não como recebendo uma recompensa pelo trabalho bem feito, mas, ao contrário, como doador de dinheiro.
>
> O sexto cartaz mostrava o perigo de ficar embaixo de um guindaste de porto, carregado. O artista desenhou um caixote dentro de uma

3. Op. cit., p. 46.
4. PRINCE-WILLIANS, D.R. (ed.). *Cross-Cultural Studies*. Londres: Penguin Books, 1969. • W. Hudson – *The Study of Pictorial Perception among Unacculturated Groups*.
5. Op. cit., p. 149-150.

> rede de quatro cordas, com uma das cordas já rompida. Debaixo se encontrava a figura de um operário, com os braços levantados, e petrificado de horror ao ver, presumivelmente, que o caixote cairia em cima dele. A parte inferior do operário não era mostrada. Ademais, o artista contornou o cartaz com uma larga margem oval, em vermelho, e iluminou partes do rosto do operário com um marrom avermelhado. Isso foi infeliz. Em primeiro lugar, o caixote não era visto caindo. Três cordas ainda o mantinham claramente em seu lugar. Portanto, o perigo deveria encontrar-se em outra parte. A cor vermelha tem valor simbólico para o negro na África do Sul. Em quantidades grandes, significa fogo. Em quantidades menores, significa sangue. No caso do cartaz, o vermelho era interpretado como fogo, e o operário como encontrando-se no meio de um terrível holocausto. Ainda essa interpretação seria reforçada pela cor de seu rosto. Mas o fator decisivo nisso era o fato de que não se via a parte inferior do seu corpo. Obviamente, já tinha sido consumida pelas chamas.

Essas interpretações não se devem à mera ignorância. Devem-se ao fato de a imagem dos cartazes, tanto nas situações representadas como na maneira de representá-las, não se identificar com imagens referenciais que fossem vigentes para o negro sul-africano. Suas imagens referenciais estabelecem outras conotações para determinados gestos, para cores, até mesmo para as situações em si. Envolvem também outro tipo de raciocínio. Outro esquema de valores.

As imagens referenciais não são herdadas[6]. Não são estereótipos de percepção, não são conceitos. Formam-se, basicamente, de modo intuitivo. Configurando-se em cada pessoa a partir de sua própria experiência e como "disposição característica" dos fenômenos, isto é, como imagem qualificada pela cultura, sua visão é ao mesmo tempo pessoal e cultural. Naturalmente, isso não significa que, embora funcionando como visão referencial, ela se cristaliza logo a ponto de não poder ser subsequentemente elaborada; dependerá do indivíduo e dependerá de como a cultura formula suas normas e suas aspirações. É bem provável que, num contexto cultural que fosse predominantemente mágico, as elaborações subsequentes reiterassem aspectos mágicos, ao passo que no contexto de uma sociedade moderna industrial se formassem novos aspectos racionali-

---

6. Não nos estamos referindo às imagens "primordiais", os arquétipos no inconsciente coletivo, que ocupam uma posição central no pensamento de C.G. Jung.

zados. Mesmo assim, um indivíduo, cuja estrutura de personalidade seja a de um intelectual, possivelmente tenderia, em todas as culturas, a racionalizar o enfoque de sua experiência acima do comum a outros indivíduos menos intelectualizados.

Como parâmetro, as imagens referenciais se formam, em cada um de nós, já impregnadas de valores. Por isso, um psicólogo inglês, trabalhando na África, conhecendo seus costumes e a maneira de pensar, conhecendo também as imagens referenciais e compreendendo o porquê das interpretações africanas, ainda assim o compreenderia em termos racionais. Para ele, as imagens referenciais africanas não representariam uma linguagem afetiva, e sim uma linguagem intelectualmente adquirida. Seria difícil interiorizá-la a ponto de espontaneamente estruturar os próprios enfoques de vida e as íntimas valorizações.

As imagens referenciais são, portanto, ordenações internalizadas. Intuitivamente, estruturamos em nós uma imagem referencial dos estados de ânimo. Não precisamos dar-nos o trabalho de especificar todos os dados que entram nessas complexas manifestações. Quando, por exemplo, encontramos alguém e percebemos que está alegre, sabemos perfeitamente como referir os vários detalhes de seu comportamento. Em nossa mente, já existe uma "imagem" da alegria[7].

A qualquer objeto também corresponde uma imagem referencial estruturada em nós, que abrange todo um contexto de qualificações. Assim, quando pensamos em "mesa", já a pensamos em termos de uma determinada configuração, um tampo quadrado ou retangular ou redondo e com quatro pés, o próprio objeto dentro de um dado ambiente e com dadas valorizações do meio cultural, de utilidade doméstica, padrões funcionais e de conforto, de materiais usados, do sentido estético, etc. Quando vemos uma mesa, espontaneamente comparamos a mesa, objeto-real, à mesa internalizada, imagem-referencial.

Constância de imagens

A imagem referencial liga-se a um fenômeno de percepção que ainda é pouco elucidado, mas cuja importância é indiscutível, tanto para as ordenações que fazemos, como para o sentido que as formas têm para nós. Trata-se do fenômeno da constância.

Ainda no nível da transmissão de estímulos, existem em nós, aparentemente, mecanismos de ajuste que de certo modo "alteram" os dados externos.

---

7. Aqui apenas renovamos a ressalva de que a comunicação deve referir-se a um contexto cultural comum para validar os referenciais.

Citamos[8]: "O olho como órgão receptor pode ser comparado a uma câmara fotográfica. Essa analogia se desfaz imediatamente quando analisamos o processo global de visão. A diferença maior é a do fenômeno da CONSTÂNCIA. Numa película, assim como também na retina, os objetos se registram de acordo com o ângulo em que aparecem no campo visual. Então, um objeto do dobro de seu tamanho normal a uma distância dupla, não se registraria diferente do mesmo objeto em tamanho normal e localizado no primeiro plano. Um homem que avança para nós se transformaria de um anão em um gigante. Nada disso, porém, acontece".

Ilustramos com uma fotografia. Veja na fotografia como o chapéu no primeiro plano parece desproporcionalmente grande. Equivaleria esta à imagem percebida por nós caso nossa imagem mental se identificasse apenas com o registro na retina. Mas, de fato, não vemos assim. Mesmo focalizando alguém bem à nossa frente e com a mão quase a nos tocar (uma criança brincando e pulando no colo), continuamos a ver a pessoa em tamanho normal, o braço e a mão dentro das proporções naturais do corpo e ainda integrados perfeitamente dentro da escala do espaço ambiental.

A todo instante, nossa visão deve perfazer cálculos e cômputos complicadíssimos. Não é só uma questão de nossos olhos possuírem lentes móveis e instantaneamente ajustáveis, com as quais nenhum sistema de lentes mecânicas se compara. O fato é que, embora pelo fenômeno da constância em nossa vista se nivelem inúmeras diferenciações, somos capazes de discernir essas diferenciações junto com o nivelamento. Fazemos ambas as operações ao mesmo tempo. Olhando, de um modo geral não nos enganamos a respeito do homem que em nosso campo visual avança e, por outro, igualmente distinguimos entre um anão que porventura se encontre a um plano próximo e uma pessoa de altura normal a certa distância.

Se a imagem visual é difícil de alcançar em sua complexidade como fato físico, mais ainda o é a imagem como um fato mental. Em realidade, porém, nenhuma imagem é, para nós, inteiramente fato físico. Ao apreender qualquer tipo de estímulo, já o apreendemos configurando, isto é, já o apreendemos dentro de ordenações que se estabelecem no próprio ato de apreender. Vivenciamos na percepção um processo orientador e orientado. A partir dos diversos fatores que interagem na percepção e mutuamente se influenciam – a imagem referencial, a constância de

---

8. HOFSTÄTTER, Dr. Peter R. *Psychologie*. Frankfurt: Fischer-Bücherei, 1960, p. 141.

Ilustração VI
HOMEM COM CHAPÉU

imagem com os nivelamentos e as simultâneas diferenciações – não somente cada imagem visual surge de início imbuída de significados, como também surge imbuída de valorações.

O fato de valorações acompanharem toda forma que percebemos e toda forma que criamos, é, na verdade, um fato inevitável. Ainda que talvez não a conscientizemos, representa uma atitude elementar de avaliação que está presente em cada instante de nossa vida. A essa atitude elementar se prende, por exemplo, o problema, no século passado, de, ao ver a obra dos pintores impressionistas, o público ter-se chocado tão fortemente. No entanto, o que haveria de tão chocante?

A pintura impressionista funda sua pesquisa numa atitude que é basicamente fenomenológica, isto é, indaga a essência do ser em termos de fenômenos percebidos. O fenômeno, no caso, era a atmosfera luminosa. A realidade desse fenômeno devia ser transcrita do modo mais fiel, mais direto e mais objetivo. Observando minuciosamente os reflexos da luminosidade que ocorriam nas superfícies e nas tessituras dos objetos, os pintores traduziram os reflexos ópticos em pequeninas manchas de cores vivas.

Havia, também, uma racionalização e uma proposta em torno desse procedimento. Procurava-se decompor o ato de percepção em estágios preliminares, destilar, desse ato de simultânea apreensão-compreensão, os ingredientes "puramente sensoriais", as "sensações", os próprios estímulos da visão. Com isso, os artistas se propunham alcançar níveis mais elementares da experiência humana. Quando pintavam em seus quadros a cor de um rosto, usavam múltiplos tons de azul, amarelos, verdes, vermelhos, laranja, roxo. Entretanto, embora os tons fossem observados no modelo, e provavelmente muito bem observados, não era possível ligá-los à imagem referencial da pele humana nem decorriam do nivelamento de dados que se dá na constância da percepção. Daí a perplexidade do público e dos críticos. Ressentiram-se da quebra de um referencial comum e culturalmente estabelecido como se fosse a quebra de um esquema de valores – o que, aliás, foi. Nesse ressentimento encontramos o motivo da atitude agressiva do público em relação aos artistas, a perda pesando mais, na época, do que os ganhos, as cores brilhantes e luminosas, tão luminosas quanto a própria luminosidade atmosférica. O rompimento de uma valoração cultural foi a razão principal de tamanha hostilidade, pois, quanto ao teor expressivo das obras impressionistas, este jamais é violento ou agressivo, nem mesmo crítico, é um teor invariavelmente lírico.

O que nos importa mostrar no Impressionismo, para o nosso trabalho aqui, é sua preocupação com o modo de perceber. Constituiu-se numa espécie de programa cientificista peculiar ao clima mental do século passado. Os artistas se propunham a objetividade de uma observação rigorosa (também no Pontilhismo, com Seurat, Signac, etc.). No fundo, porém, não deixavam de participar das tendências românticas da época, tanto por imaginar algum tipo de objetividade não valorativa, como pela noção de qualidades "mais autênticas" a serem identificadas com níveis de experiência considerados mais elementares. Evidentemente, resta saber se de fato dá-se a decomposição da percepção em níveis anteriores e se tais níveis seriam mais elementares. Se é de todo possível ao ser humano decompor a percepção. A percepção constitui uma síntese. Como veremos mais adiante, o processo de síntese vai de uma integração para outra integração. Não retrocede no tempo.

Sem dúvida, porém, o Impressionismo criou um novo tipo de codificação. Nova imagem referencial com valorações novas, uma maneira de ver as coisas que agora, para a maioria das pessoas, já se tornou inteiramente familiar.

Seletividade

Num primeiro relance feito ao redor de nós, recebemos um informe sobre o verossímil das coisas. Antes dos detalhes, vem-nos a visão de um contexto geral, isto é, de um conjunto de possibilidades que supomos e em seguida verificamos. Como um processo sempre ativo, de inter-ação com o ambiente, perceber é, de certo modo, ir ao encontro do que no íntimo se quer perceber. Buscando as coisas e relacionando-as, procuramos vê-las orientadas em um máximo grau de coerência interna, pois que nessa coerência elas podem ser referidas por nós, podem ser vividas e tornar-se significativas.

Reencontramos aqui o princípio da seletividade interior. A seletividade opera, dinamicamente, em tudo o que nos afeta. Entre outros, ela prevalece também no caso da constância da percepção bem como nas imagens referenciais. É fácil ver que do nivelamento dos dados reais para dados "constantes" resulta uma aproximação ao que em nós já está codificado como imagem referencial, ou se reforça o que se estiver codificando. Integrando-se às imagens referenciais, os fenômenos novos podem surgir para nós em contextos já parcialmente assimilados e já encaminhando-se a eventuais significados; por mais inesperados que sejam esses fenômenos, eles nunca seriam desligados. É importante que assim aconteça. Encontrássemos aspectos sempre insólitos ao redor de nós, aspectos não relacionados ou não relacionáveis em contextos, a todo momento estaríamos inundados de informações estranhas. Estaríamos perdidos diante de eventos que se sucedem e que seriam irreconhecíveis na vasta complexidade de seus detalhes incidentais. Seriam, para nós, eventos deveras incontroláveis.

Relacionados os dados, as coerências e os significados que encontramos, são coerências e significados seletivos. Foram elaborados a partir daquilo que já conhecíamos e do que queríamos conhecer. Com efeito, a seletividade representa um processo de economia, pois a nossa tendência é inteirar-nos daquilo que nos seria *suficiente para* resolver uma situação ou tarefa em que estejamos interessados. Resolvê-la e torná-la significativa para nós. O resto dos eventos "foge" à nossa atenção.

Nessa busca de coerências e significados, a nossa seletividade também pode enganar-nos (embora, no fundo, nenhum engano seja aleatório). Partindo de um referencial anterior em si relativo, vivemos a percepção dos fenômenos de modo igualmente relativo, tanto assim que em determinados momentos de ambiguidade no ambiente ou dentro de nós, talvez fiquemos em dúvida de como avaliar a situação, como interpretá-la[9]. Contudo, devemos sempre ter em mente que nem os nossos sentidos nem as operações da percepção se organizaram em função de momentos especiais, e sim para permitir-nos lidar com os acontecimentos comuns e essencialmente identificáveis, que perfazem o contexto diário de nossa vida. É deles que extraímos os significados.

Portanto, se procuramos compreender as coisas a fim de poder controlá-las, nós as procuramos do modo mais direto e simples, e na maior coerência, porque nessa simplicidade e coerência elas fazem sentido para nós. A criatividade se vincula, sem dúvida, à nossa capacidade de seletivamente intuir a coerência dos fenômenos e de conseguir formular, sobre aquelas coerências, situações que em si sejam novamente coerentes.

Insight

Do mesmo modo que a percepção, a intuição é um processo dinâmico e ativo, uma participação atuante no meio ambiente. E um sair-de-si e um captar, uma busca de conteúdos significativos. Os processos de perceber e intuir são processos afins, tanto assim que não só o intuir está ligado ao perceber, como o próprio perceber talvez não seja senão um contínuo intuir.

Em todo ato intuitivo entram em função as tendências ordenadoras da percepção que aproximam, espontaneamente, os estímulos das imagens referenciais já cristalizadas em nós. Igualmente em todo ato intuitivo ocorrem operações mentais instantâneas de diferenciação e de nivelamento,

---

9. Também nas situações ambíguas intencionais: nos laboratórios de pesquisas, nas famosas imagens reversíveis, nas vistas ilusórias construídas para testes, nos *puzzles*.

e outras ainda, de comparação, de construção de alternativas e de conclusão; essas operações envolvem o relacionamento e a escolha, na maioria das vezes subconsciente, de determinados aspectos entre os muitos que existem numa situação[10]. É sempre uma escolha valorativa visando a algum tipo de ordem. Parte-se, no fundo, de uma ordem já existente para se encontrar outra ordem semelhante, uma vez que se indaga sobre os acontecimentos segundo um prisma interior, uma atitude, por mais aberta que seja, já orientada e, portanto, orientadora. Nessas ordenações, certos aspectos são intuitivamente incluídos como "relevantes", enquanto outros são excluídos como "irrelevantes". Selecionados pela importância que têm para nós, os aspectos são configurados em uma forma. Nela adquirirão um sentido talvez inteiramente novo.

As conclusões muitas vezes nos surpreendem como um resultado original. O seu sentido novo pode até mesmo ser inesperado e, no entanto, formula uma visão de certo modo pressentida. Confirma essa visão. Sentimos que a ordenação concreta a que chegamos abrange a razão de ser da situação, abrange toda sua lógica íntima, o verdadeiro sentido. É o *insight*, a visão intuitiva. Sabemos de repente, temos inteira certeza, que desde o início era esse o seu significado.

É verdade que até agora os processos intuitivos se mostraram inabordáveis por investigações racionais e fogem mesmo à autoanálise. Surgindo de modo espontâneo das profundezas do ser, não é possível explicar o como e porquê do caminho[11]. Trata-se, contudo, de processos dos mais complexos estruturados dentro do ser humano, pois no *insight* estruturam-se todas as possibilidades que um indivíduo tenha de pensar e sentir, integrando-se noções atuais com anteriores e projetando-se em conhecimentos novos, imbuída a experiência de toda carga afetiva possível à personalidade do indivíduo. E não há como não ver o caráter dinâmico e criativo do *insight*; o conhecimento é novo, a maneira de conhecer renovando-se dentro do próprio ato de conhecer, também renovado.

O conhecimento intuitivo imediato repercute em nós como um *reconhecimento imediato*. As memórias de situações anteriores já vividas servem de referencial aos dados novos. Estes, em novas integrações, por sua vez se transformam em conteúdos referenciais. Sempre nos reencontramos e nos reconhecemos.

10. Naturalmente, a seletividade se estende tanto a fatores sensoriais como a não sensoriais.

11. Aparentemente, mesmo em descobertas científicas a intuição precede a indução, no sentido de um alvo alcançável, embora o caminho ainda seja ignorado. Nas ciências, é verdade, o caminho pode ser repetido e verificado.

O momento da visão intuitiva é um momento de inteira cognição que se faz presente. Internalizamos de pronto, em um momento súbito, instantâneo mesmo, todos os ângulos de relevância e de coerência de um fenômeno. Nesse momento apreendemos-ordenamos-reestruturamos-interpretamos a um tempo só. É um recurso de que dispomos e que mobiliza em nós tudo o que temos em termos afetivos, intelectuais, emocionais, conscientes, inconscientes. Embora não sejam visíveis nem racionalizáveis os níveis intuitivos, bem sabemos de sua ação integradora. Em situações difíceis de nossa vida pode dar-se em nós esse tipo de reestruturação de dados, produzindo nova medida de ordem e permitindo-nos novamente compreender e controlar a situação.

Intuição, forma

A intuição caracteriza todos os processos criativos. Ao ordenar, intuímos. As opções, as comparações, as avaliações, as decisões, nós as intuímos. Intuímos as visões de coerência.

Intuindo, usamos um modo não verbal, não conceitual. Já abordamos esse assunto no primeiro capítulo. Se aqui tornamos a mencioná-lo, constatando que a intuição não é verbal, é porque queremos pôr em evidência o seu caráter formal. Os processos intuitivos se identificam com a forma, ou, ainda, os processos criadores são essencialmente processos formativos, processos configuradores. Ainda que se configurem palavras ou pensamentos, é preciso distinguir entre os componentes do processo e o processo em si; os componentes podem ser de ordem verbal ou conceitual, mas *o processo criativo intuitivo é sempre de ordem formal.*

Esse aspecto merece destaque especial. Quando lidamos com um conceito, lidamos com uma ordenação de pensamentos ou de noções. Ou seja, determinadas noções foram interligadas de uma maneira determinada; coordenadas nessa maneira específica formam o conceito. Logo, a partir de uma ordem interior, qualquer conceito também representa uma configuração, ainda que seus componentes sejam abstratos. Qualquer conceito é, portanto, uma forma face à sua estrutura. De fato, observe-se que, enquanto estrutura[12] (não no conteúdo específico dos pensamentos, mas no modo de se organizarem e encadearem os pensamentos), o conceito é referido ao nosso sensório e é também interpretado por nós em termos sensoriais: em termos de coordenação de partes, de proporções,

12. Cf. novamente o depoimento de Einstein, no capítulo II.

de desenvolvimento interior, de equilíbrio e de totalidades. Nesse sentido, o conceito é uma forma. Mas, se o conceito também é forma, a recíproca não é verdadeira. *A forma nunca é um conceito.* A forma se caracteriza por sua *natureza sensorial.* Enquanto forma, e ordenação que ela constitui, ela não pode ser abstraída, reduzida, traduzida, transposta ou desvinculada de seu específico caráter material sem de imediato perder a essência do ser.

Daí tiramos uma conclusão que diz respeito aos conteúdos expressivos da ação criativa. Os processos intuitivos ocorrem de modo não conceitual, são processos de forma. Quando se intui, intui-se uma forma expressiva, isto é, não se trata de definir um fenômeno por meio de noções intelectuais (mesmo quando se trata de matérias abstratas, de pensamentos ou palavras). A ação, abrangendo o intelectual, é mais ampla. Ao intuir, procura-se alcançar *um novo modo de ser essencial* do fenômeno, através de estruturas que se configuram *dentro da materialidade específica* desse fenômeno. (Portanto, os componentes podem ser conceituais ou sensoriais.) Nesse preciso sentido, a forma não traduz, ela é; ela capta o mais exclusivo do fenômeno porque jamais se desvincula da matéria em questão.

Formar, fazer

Intuindo, procura-se estabelecer relacionamentos significativos – significativos para uma matéria e para nós. Seja qual for a área de atuação, a criatividade se elabora em nossa capacidade de selecionar, relacionar e integrar os dados do mundo externo e interno, de transformá-los com o propósito de encaminhá-los para um sentido mais completo. Dentro de nossas possibilidades procuramos alcançar a forma mais ampla e mais precisa, a mais expressiva. Ao transformarmos as matérias, agimos, fazemos. São experiências existenciais – processos de criação – que nos envolvem na globabilidade, em nosso ser sensível, no ser pensante, no ser atuante. *Formar é mesmo fazer.* É experimentar. É lidar com alguma materialidade e, ao experimentá-la, é configurá-la. Sejam os meios sensoriais, abstratos ou teóricos, sempre *é preciso fazer.* Enquanto o fazer existe apenas numa intenção, ele ainda não se tornou forma. Nada poderia ser dito a respeito de conteúdos significativos nem mesmo sobre a proposta real. Sem a configuração dos meios não se realiza o conteúdo significativo.

Essa problemática não é afastada da realidade social em que vivemos nem suas implicações seriam sem importância. Como ilustração, veja-se uma corrente no campo da arte contemporânea, a chamada "arte conceitual". Na arte conceitual não existe o fazer concreto, não existe a forma dada a uma matéria, por serem considerados "supérfluos" à obra. A obra se realizaria e se esgotaria como proposta já ao ser concebida. Às vezes, os artistas apresentam a ideia por meio de uma programação através de diagramas ou fotografias, mas não só a programação é optativa, e, portanto, dispensável, como também ela nada tem a ver com a materialidade específica da ação.

Na colocação teórica e prática da arte conceitual, de considerar desnecessário configurar uma matéria, refletem-se avaliações do relacionamento HOMEM x TRABALHO. Assim como todo tipo de comportamento, também essa colocação de considerar desnecessário agir e fazer, e dar forma adequada ao fazer, deve ser vista no que tem de expressivo. Não é apenas a ação artística que na visão da arte conceitual seria supérflua; a ação humana, como ação, é exonerada de sentido. Consequentemente, o que resta ao homem é ter intenções, vontades, ideias – não sendo necessário executá-las. Esvazia-se o homem existencialmente. E também se o aliena do seu poder, considerado dispensável e insignificante, de participar, através do trabalho como experiência vital, direta e ativamente das transformações sociais e culturais e da natureza da vida em geral. (Nota-se que, na arte conceitual, não há a mais leve atitude de crítica social a respeito da "impossibilidade de ação". A impossibilidade é tranquilamente assumida e é elevada ao nível de uma pesquisa pura.)

Elaboração

No trabalho, o homem intui. Age, transforma, configura, intuindo. O caminho em toda tarefa será novo e necessariamente diferente. Ao criar, ao receber sugestões da matéria[13] que está sendo ordenada e se altera sob suas mãos, nesse processo configurador o indivíduo se vê diante de encruzilhadas. A todo instante, ele terá que se perguntar: sim ou não, falta algo, sigo, paro... Isso ele deduz, e pesa-lhe a validez, eventualmente a partir de noções intelectuais, conhecimentos que já incorporou, contextos familiares à sua mente. Mas, sobretudo, ele decidirá baseando-se numa empatia com a matéria em vias de articulação. Procurando conhecer a especificidade do material, procurará também, nas configurações possíveis, alguma que ele sinta como mais significativa em determinado estado de coordenação, de acordo com seu próprio senso de ordenação interior e o próprio equilíbrio. Será uma busca que não se esgota na

13. Usamos aqui uma metáfora. Lembramos que nos termos "matéria" e "materialidade" nos referimos a todas as áreas de comunicação ao nosso alcance. Assim nunca se excluem das atividades formadoras do homem as áreas psíquicas e espirituais. Também são matérias do fazer humano.

palavra, por mais lúcida que seja, pois é uma busca que integra formas de ser.

Essa mesma busca, o indivíduo não sabe quanto poderá durar nem exatamente aonde ela o levará. Conquanto exista uma predeterminação interior que o impulsiona e também o orienta, algo que, ao iniciar o trabalho, o indivíduo mais ou menos pressupõe e imagina, há ainda, e sempre, uma enorme distância entre aquilo que se imagina e os fatos concretos que o trabalho apresenta. A todo momento e na medida que modificam a matéria, esses fatos também se modificam, até fisicamente.

Todo processo de criação compõe-se, a rigor, de fatos reais, fatores de elaboração do trabalho, que permitem optar e decidir, pois, repetimos, em nível de intenções, nenhuma obra pode ser avaliada. Como obra, ainda não existe. Vale dizer, então, que a criação exige do indivíduo criador que atue. Atue primeiro e produza. Depois, o trabalho poderá ser avaliado com critérios e interpretações.

A atividade criativa consiste em transpor certas possibilidades latentes para o real. As várias ações, frutos recentes de opções anteriores, já vão ao encontro de novas opções, propostas surgidas no trabalho, tanto assim que continuamente se recria no próprio trabalho uma mobilização interior, de considerável intensidade emocional. Nessa mobilização está inserido um senso de responsabilidade. As opções se propõem quase que em termos de princípios, de "certo ou errado" e, no caso das artes, o quanto custa decidir uma pincelada, a exata tonalidade de uma cor, o peso de uma palavra, uma nota certa, todo artista bem o sabe dentro de si.

Quem, no entanto, haveria de definir o certo ou o errado? Nem mesmo o artista poderia explicar para si o porquê de suas ações e decisões, ou talvez defini-lo em conceitos (é claro que não há necessidade de fazê-lo, pois na obra o artista se define inteiramente). Propondo, optando, prosseguindo, ele parece impulsionado por alguma força interior a induzi-lo e a guiá-lo, como se dentro dele existisse uma bússola. Esta lhe diz: vá adiante, revise, ajunte, tire, acentue, diminua, interrompa! São ordens que, ao recebê-las, o artista sente como imperativas, às quais deve irrestrita obediência, tão absolutamente essenciais se revelam ao seu próprio ser[14]. Trabalhando, ele continuará até um dado momento em que a bússola interna possa indicar-lhe: pare, as alternativas se abrevia-

14. *Beethoven* comenta a respeito de suas sinfonias: "Tenho medo de iniciar essas grandes obras – uma vez dentro do trabalho, não há como fugir". SULLIVAN, J.W.N. *Beethoven* His Spiritual Development. New York: Vintage Books, 1952, p. 102.

ram, as coisas não são possíveis apenas; ao contrário, tornaram-se necessárias[15].

É o momento final do trabalho. Somente a própria pessoa pode estabelecê-lo para si, momento crítico este onde o indivíduo sente ter logrado aproximar-se de uma resolução inequívoca, sem reduções e sem redundâncias. A resolução refletirá em tudo seu equilíbrio interno pois a bússola não era senão ele mesmo[16]. É um momento de entendimento de si. No processo de trabalho, entre a abertura e o fechamento da obra, o indivíduo se determinou e veio a reconhecer-se. E, se o caminho muitas vezes foi acompanhado de ansiedades, de impaciências e de conflitos interiores que pareciam nunca mais querer resolver-se, vivenciar esse momento de determinação é viver um momento de profunda felicidade.

Inspiração

Talvez seja esse momento final o momento da inspiração. É sem dúvida um momento sumamente decisivo e criativo – o desfecho do fazer. Nascido do trabalho, das tentativas que o precederam, das lutas e dos anseios íntimos, o final é indissolúvel dos momentos anteriores porque consequência necessária. Momento inspirado, mostra-nos o quanto os momentos anteriores também foram inspirados; talvez até mesmo certos erros no trabalho foram inspirados. Pensar na inspiração como instante aleatório que venha a desencadear um processo criativo, é uma noção romântica. Não há como a inspiração possa ocorrer desvinculada de uma

---

15. No trabalho não artístico, os vários momentos podem ser vistos dentro de um quadro metodológico específico, seguindo as etapas uma ordem mais conhecida. Há todo o acervo cultural de informações, de conhecimentos e métodos que o pesquisador científico, por exemplo, usará de modo menos pessoal do que o artista. Todavia, na avaliação das diversas fases do trabalho, dos resultados, de eventuais necessidades que surjam para reformular certas partes e, principalmente, na avaliação das hipóteses do trabalho, o cientista procederá em caminhos análogos aos do artista. Ambos estão configurando, ambos estão criando essencialmente através de sua intuição.

16. Há uma ressalva a fazer: o momento "final" talvez seja colocado como muito determinado. Não precisa ser sempre assim. Na prática, mesmo sentindo que o trabalho esteja concluído porquanto não haveria outro modo de concluí-lo, encerrando-se por uma necessidade interior, ainda podem perdurar perguntas. O problema às vezes não se esgota numa só obra. Há certos ângulos que propõem outras opções e implicam às vezes o empreendimento de nova obra, eventualmente com outras respostas. Por isso, o processo de criação nunca se esgota; permanece um processo aberto.

elaboração já em curso, de um engajamento constante e total, embora talvez não consciente[17].

Ocorrem momentos em nossa vida, momentos conscientes, pré-conscientes, inconscientes, de grande intensidade emocional. Eles podem induzir em nós novas forças, estimular todo nosso ser, trazer novas ideias, reorientar-nos na vida. Podem oferecer propostas de trabalho, hipóteses de ordenação. Mas igual a outras, também essas ideias, propostas, hipóteses teriam que passar por um processo de elaboração subsequente a fim de evidenciarem sua validez. Talvez tenham sido ideias inspiradas, e talvez não.

É possível, porém, que o próprio conceito de uma inspiração seja equivocado, e dispensável. Se partimos de uma sensibilidade alerta, afetiva, motivada para determinadas tarefas e dirigida para um fazer específico, essa sensibilidade se basta. Podemos entender todo fazer do homem como sendo inspirado se o qualificamos pelo potencial criador natural, pela inata capacidade de formar e intuir, por sua espontânea compreensão das coisas. O ser sensível é como um espelho d'água encrespando ao mais ligeiro vento e onde uma pedrinha jogada ao acaso traça ondas em círculos sempre crescentes.

Tensão psíquica

Aqui voltamos ao problema da tensão psíquica. Em qualquer campo de criação, o indivíduo teria que ser capaz de sustentar um estado de

---

17. Não podemos resistir à tentação de citar *João Cabral de Melo Neto*: "É uma escrita lacônica, a deles, lenta, avançando no terreno milímetro a milímetro. Estes poetas jamais encaram o trabalho de criação como um mal irremediável, a ser reduzido ao mínimo, a fim de que a experiência a ser aprisionada não fuja ou se evapore. O artista intelectual sabe que o trabalho é a fonte de criação e que a uma maior quantidade de trabalho corresponderá uma maior densidade de riquezas. Quanto à experiência, ela não se traduz neles, imediatamente em poema. Não há por isso o perigo de que fuja. Eles não são jamais os possessos de uma experiência. Jamais criam debaixo da experiência imediata. Eles a reservam, junto com sua experiência geral da realidade, para um momento qualquer em que talvez tenham de empregá-la. Não será de estranhar que muitas vezes esqueçam essa experiência como tal, e que ela, ao ressuscitar, venha vestida de outra expressão, diversa completamente. Também o trabalho nesses poetas jamais é ocasional ou repousa sobre a riqueza de momentos melhores. Seu trabalho é a soma de todos os seus momentos, melhores e piores."
Trecho da conferência pronunciada por *João Cabral de Melo Neto*, na Biblioteca de São Paulo, em 13/11/1952, num curso de poética promovido pelo Clube de Poesia do Brasil.
Gilberto Mendonça Teles, *Vanguarda Europeia e Modernismo Brasileiro*, Editora Vozes, Rio de Janeiro, 1976, p. 331-332.

tensão, de concentração espiritual e emocional, de conscientização de si, de um longo esforço de produção, por semanas, meses, anos, pelo tempo que possa durar um trabalho. Durante esse tempo, nos diferentes planos do viver, talvez no trabalho profissional também, hão de ocorrer os incidentes mais variados, sucessos, fracassos, alegrias, tristezas, amor, nascimentos, mortes. Produzirão emoções e pensamentos diversos, possivelmente até contraditórios. Poderão afetar o indivíduo no cotidiano da vida ou até atingi-lo em regiões íntimas do vivenciar, nas aspirações e em sua identidade mesmo. Continuando a trabalhar, o indivíduo recolhe esses múltiplos momentos e os transforma em conteúdos psíquicos, nos conteúdos de sua experiência de vida. Eles talvez venham a ser reconhecíveis em certos detalhes da obra criada, ou talvez se tornem irreconhecíveis, transpostos e absorvidos que foram pela proposta essencial do trabalho.

O que queremos mostrar é que a criação deriva de uma atitude básica da pessoa. Não se trata de momentos singulares, "momentos de inspiração", nem fora nem dentro do trabalho. Mesmo quando o interesse imediato centra no problema da expressão de uma experiência subjetiva emotiva, ainda se trata da atitude básica da pessoa. A maior importância, por isso, deve ser dada à qualidade do engajamento interior do indivíduo e à sua capacidade renovadora, isto é, à sua capacidade de se concentrar e de ao retomar o trabalho poder retomar o estado inicial da criação, *alcançar e manter a atenção nesse nível profundo de sensibilização*. É o que conta. Significa reencontrar a tensão dinâmica da intencionalidade, motriz do fazer. O indivíduo não precisa "buscar inspirações". Ele se apoia em sua capacidade de *intuir nas profundezas de concentração em que elabora o seu trabalho.*

A capacidade de intuir espontaneamente e ao mesmo tempo sustentar a tensão psíquica em níveis mais profundos, será determinante para a criação. Seja na área artística ou científica ou tecnológica. Seja em qualquer atividade do homem, é a tensão renovada que renova o impulso criador[18].

---

18. O que distingue a arte dos adultos, da arte infantil e também da arte ingênua, são justamente *os níveis possíveis de tensão psíquica e de concentração.*
NAS CRIANÇAS, a expressão artística equivale a um experimento direto. Conquanto ocorra na área do sensível, o fazer não se coloca para a criança num plano diferente de qualquer outra experiência de vida – apenas é feita com materiais que por nós são considerados "artísticos". Assim, a tensão psíquica correspondente à experiência, a criança a extravasa no momento da ação.
Não há uma atenção seletiva, no sentido de procurar reconhecer aspectos do trabalho realizado e de resguardá-los, conscientemente, para o futuro. Pelo menos, essa atenção não existe no fazer direto. Mais tarde, é evidente, o efeito seletivo se fará sentir. Tampouco há a continuidade da concentração anterior como carga a

Caminhos

Ao retomar a obra em vias de ser criada e, no ato, recuperar todo um clima afetivo e mental, de tensão dirigida, o indivíduo exerce sua seletividade interior. De acordo com sua personalidade, sua estrutura íntima sensível, será o próprio indivíduo a determinar as possibilidades e as formas em que efetua a retomada do trabalho. Será ele, dentro de sua seletividade, a discriminar o caminho, os avanços e os recuos, as opções e as decisões que o levarão a seu destino.

Sua orientação interior existe, mas o indivíduo não a conhece. Ela só lhe é revelada ao longo do caminho, através do caminho que é o seu, cujo rumo o indivíduo também não conhece. O caminho não se compõe de pensamentos, conceitos, teorias, nem de emoções – embora resultado de tudo isso. Engloba, antes, uma série de experimentações e de vivências onde tudo se mistura e se integra e onde a cada decisão e a cada passo, a cada configuração que se delineia na mente ou no fazer, o indivíduo,

---

ser transferida para determinados momentos futuros. Os momentos se sucedem para a criança. Novos momentos virão a substituir os que passaram e conterão em solicitações novas um potencial novo de tensão e ação.
NA ARTE INGÊNUA também existe a problemática de tensão.
(Aliás, a arte ingênua é "ingênua" em nosso contexto cultural. Suas manifestações artísticas não devem ser confundidas com as da *arte primitiva*, isto é, com a arte de sociedades cuja estrutura social é menos complexa, historicamente, do que a nossa. *A arte primitiva nunca é ingênua.* Ao contrário, ela reúne todos os dados que em um determinado contexto social são possíveis serem detidos pelo indivíduo adulto.)
Na arte ingênua manifesta-se um desnível de crescimento para a emotividade adulta, e também um desnível na elaboração intelectual dos dados culturais. Os trabalhos ingênuos parecem estacionários em torno de um período biológico indefinível, tanto assim que diante da obra de um artista ingênuo, é difícil determinar, em termos estilísticos, se se trata de obra de juventude ou de velhice, se o autor teria 20 anos de idade, ou 40, ou 60, ou 80.
Aos trabalhos ingênuos falta tensão espacial. A função, em termos estruturais e expressivos, da tensão espacial é elucidar visualmente, e assim objetivar, a própria existência física da obra, seu formato. Repare-se como, com exceção da obra do Douanier Rousseau, os trabalhos ingênuos não possuem escala. Não que eles sejam grandes ou pequenos – neles nunca se articula suficiente tensão espacial para fazer-nos ver que são grandes ou pequenos; assim não adquirem um determinado caráter de grandeza, nem são monumentais nem íntimos.
Em termos expressivos, igualmente, as obras ingênuas carecem de tensões psíquicas. Por essas tensões, isto é, por meio de condensações e ênfases formuladas através da própria linguagem, o artista aprofunda o conteúdo da mensagem, mostra a existência de conflitos junto com possíveis soluções. Nas obras ingênuas faltam os conflitos.

ao questionar-se, afirma-se e se recolhe novamente das profundezas de seu ser. O caminho é um caminho de crescimento.

Seu caminho, cada um o terá que descobrir por si. Descobrirá, caminhando. Contudo, jamais seu caminhar será aleatório. Cada um parte de dados reais; apenas, o caminho há de lhe ensinar como os poderá colocar e com eles irá lidar.

Caminhando, saberá. Andando, o indivíduo configura o seu caminhar. Cria formas, dentro de si e em redor de si. E assim como na arte o artista se procura nas formas da imagem criada, cada indivíduo se procura nas formas do seu fazer, nas formas do seu viver.

Chegará a seu destino. Encontrando, saberá o que buscou.

IV. Relacionamentos: forma e configuração

Nas primeiras semanas de vida, quando o bebê recém-nascido passa dormindo a maior parte dos dias e das noites, está desde então ordenando certas sensações, estruturando-as em experiências. Naquelas ordenações se fundamentarão outras.

O bebê não está consciente de si. Todavia, já nasceu com um potencial de consciência. Pode sua consciência estar se organizando e se complexificando gradualmente, mas, ao organizar-se, *já funciona*. Os limites entre a formação da consciência e o seu exercício são muito frágeis, intangíveis mesmo. Trata-se, antes, de uma sequência ininterrupta no tempo, de diferenciações e alterações que surgem. É um processo que está intimamente misturado com a própria consciência, pois esta se realiza na medida em que a conscientização também se realiza.

O bebê chora e esperneia. Ainda e por algum tempo será esse seu único modo de se expressar. Tem fome. Está molhado. Está com cólicas. Está com frio. A cada instante que passa, as sensações de desconforto aumentam. Não é possível dizer em que níveis o bebê sente os vários dados internos e externos que para ele indistintamente ocorrem, unem-se, pertencem-se e o atormentam, mas devem no conjunto representar uma situação determinada na experiência do bebê. E, sem dúvida, o bebê a vive como um todo e em toda sua aflição e angústia.

Eventualmente alguém chega, aproxima-se do bebê, levanta-o, segura-o, troca-lhe a fralda, dá-lhe de mamar. A situação se modifica e se recompõe em outra situação. Outros dados surgiram: movimentos, cheiros, sons, tatos, calor e luz. O desconforto cedeu a uma sensação de alívio, de satisfação e de aconchego. Assim como o conteúdo da situação anterior, também o novo conteúdo será vivido pelo bebê e não só o conteúdo da situação em si. Aos poucos, e sempre mais, certas sequências vão ser captadas e se constituirão em regularidades que transformam um evento em outro. Certas coisas serão condicionadas, o choro, o colo, a atenção da mãe. Percebendo que foi para o colo quando estava molhado e chorou, o bebê começa a sentir que, chorando, pode ir para o colo. Numa próxima vez talvez chore, não porque esteja molhado mas porque queira ir para o colo. Ele aprende que as coisas podem ser solicitadas pelo seu comportamento.

Em breve, certos cheiros ou sons ou movimentos serão suficientes para que o bebê os interprete como indicadores de determinada situação. Pela sequência ordenada em que surgem, adquirem significado. Indicam alterações no ambiente físico que por sua vez evocam alterações psíquicas. Relacionando e associando, desde cedo o bebê começa a lidar com *significações*.

Vemos aí a origem, na experiência de relacionamento, da compreensão da forma e dos significados. À medida em que a presença passiva da criança se transforma progressivamente em presença ativa, os significados podem abranger também níveis do consciente. Por essa altura, provavelmente, os relacionamentos e as significações se ramificam no consciente-inconsciente com crescentes cargas simbólicas.

Vale observar que, ao se realizar, a própria experiência se converte em referencial. Por exemplo, o fato de o bebê chorar e imediatamente ser atendido, constituirá um tipo de referencial; não ser logo atendido, outro referencial; chorar e chorar sem ser atendido, outro ainda. Desse modo, ao se relacionarem os fenômenos que ocorrem, organizam-se concomitantemente na criança certos esquemas valorativos que qualificam esses mesmos relacionamentos. Lembramos, do capítulo anterior, as *imagens referenciais* que se formam na percepção e influem no próprio modo de perceber e de interpretar os acontecimentos.

A integração da experiência em padrão referencial é um processo que continua pela vida afora. É um processo de memória e de conscientização. Permanece processo alterável, porquanto, ao se discriminar a personalidade do indivíduo, orienta-se e também se amplia a base para se avaliar os fatos da realidade e os próprios conhecimentos que se adquire. É um processo simultâneo de subjetivação e objetivação, abrangendo valores pessoais e culturais e interligando o plano da expressão com o da comunicação. Corresponde ao nosso crescimento interno, às nossas definições interiores; corresponde a um processo de configuração em que criamos continuamente novas formas de viver e, nelas, as formas do nosso fazer.

Forma

Queremos definir aqui o uso da palavra *forma*. A compreensão do termo é importante para que se avalie o fato criador, seja nos processos de criação, seja na recriação de formas e significados.

A forma é algo em si delimitado – mas não no sentido de uma área demarcada por fronteiras. Nem, aliás, nas artes plásticas a forma se resume a configurações de superfície, a uma espécie de silhuetas[1]. A forma é o modo por que se relacionam os fenômenos, *é o modo como se configuram certas relações dentro de um contexto*. Para dar um exemplo visual: ao se observar duas manchas vermelhas lado a lado, vê-se *uma* forma. Ela abrange as manchas e os relacionamentos existentes entre as manchas. Portanto, a forma não seria uma mancha isolada, seria a mancha relacionada a alguma coisa. Se a mancha estiver sozinha no plano pictórico, estaria relacionada ao fundo branco (que é extensão, é superfície e é cor). Se a mancha vermelha for colocada ao lado de uma mancha verde, teremos *outra forma* (cujo significado afeta a mancha vermelha embora fisicamente não a altere), isto é, teremos um outro relacionamento com outros componentes, outro contexto. E se essas manchas, a vermelha e a verde, forem colocadas nas margens laterais de um plano, afastadas entre si por um intervalo espacial, configurarão *outra forma ainda*, pois veremos um novo tipo de relacionamento entre os componentes anteriores.

Não deve ser difícil transferir essa noção da forma, da área visual para outras áreas. A forma será sempre compreendida como a estrutura de relações, como o modo por que as relações se ordenam e se configuram. Teremos a forma de uma mesa, mas também teremos a forma de uma ação, de uma teoria, de determinada situação, de determinado caráter, ou de outro fenômeno.

Desde que a forma é estrutura e ordenação, todo fazer abrange a forma em seu "como fazer". Para nós não há nada, nem o existir em si, que não contenha uma medida de ordenação. Esta, nós a vivenciamos. É a forma das coisas que corresponde – não poderia deixar de corresponder – ao conteúdo significativo das coisas.

Modalidades de enfoque

Tudo se articula para nós a partir de relacionamentos configurados. Entretanto, já na maneira de se relacionar também existe um configurar.

---

1. É o equívoco em vários estudos que envolvem a linguagem artística. Assim veja-se o livro de EHRENZWEIG, Anton. *The Psycho-Analysis of Artistic Vision and Hearing*. London: Routledge & Kegan Paul Ltd., 1953.
Nesse livro, "forma" é identificada com planos contornados (com ou sem cor). A tese se baseia na noção de que à forma corresponderia uma ação intencional e controlada, sujeita à repressão pelo consciente do indivíduo, ao passo que o inconsciente livre se expressaria no "informal"; portanto só nesse último encontraríamos a criatividade.
Do ponto de vista artístico, as premissas da tese não se sustentam. Forma não é o que imagina o autor, e o informal, que seria isento de forma, não é percebido por nós (se é que existe).

Diríamos que há em nós, em nível pré-consciente ou talvez até inconsciente, uma orientação prévia que funciona a um tempo como prisma seletivo e princípio ordenador. Partindo de necessidades internas, de motivações e intenções onde influem fatores culturais, não só a nossa atenção é solicitada de determinada maneira para determinados aspectos dos fenômenos, como também os aspectos assim selecionados se interligam para nós de uma maneira determinada. Surgem ordenações em nossa percepção que revelam um enfoque seletivo existente nos próprios relacionamentos. São modalidades diferentes de relacionar.

Queremos distinguir aqui entre duas modalidades principais que denominaremos: *ordenações de campo* e *ordenações de grupo*.

Há, a nosso ver, implicações consideráveis e claramente diversas nas duas modalidades. Elas projetam diferentes modos de visão, atitudes diferentes de enfocar os fenômenos e de compreendê-los. Trata-se, com efeito, de modos diversos de nos vincularmos às coisas. Deve ficar entendido, porém, que, se damos ênfase à distinção, nós o fazemos por uma questão de metodologia. Embora divergentes, os limites são bastante tênues e os processos configuradores são muitas vezes concomitantes a ponto de se sobreporem em nossa experiência. Aqui os isolamos para fins de análise, assim como um biólogo faria num exame de tecidos, isolando-os a fim de compreender como funcionam em conjunto.

Expondo inicialmente as diferenças básicas entre as modalidades, pretendemos a seguir discriminar o caráter de cada uma.

Em *ordenações de campo*, o relacionamento de vários fatores ocorre através de ligações de *proximidade* e de interdependências locais. Enfocam-se os fatores em conjunto por acontecerem praticamente ao mesmo tempo e no mesmo lugar.

Em *ordenações de grupo*, os fatores se interligam à base de certas semelhanças. Esses fatores não precisam encontrar-se juntos ou contíguos; as ligações funcionam por meio de comparação *através de intervalos espaciais e temporais*. Os fatores são percebidos como componentes individuais, separáveis e abstraíveis, podendo existir independentes da situação em que são vistos.

Por exemplo, uma coisa é ver um pão na mesa quando se está com fome e se quer comer. Outra coisa é ver o mesmo pão na mesa e querer contá-lo, talvez porque se queira conferir a compra de meia dúzia de pães.

No primeiro caso, o pão faz parte de um contexto "pão-prato-mesa-fome-agora". Estabelece-se na percepção uma *ordenação de campo* em que entram o pão, a mesa, a fome, o momento e o lugar exato em que ocorrem, certas expectativas e o que nas circunstâncias possam implicar de conteúdos psíquicos para a pessoa. Os vários dados não são comparáveis entre si, em nada sendo parecidos nem mesmo contrastantes. Interligam-se porque ocorrem juntos ou, pelo menos, são entendidos como muito próximos e talvez abrangendo uns aos outros. O caráter da relação é predominantemente sensorial-afetivo.

No segundo caso, o pão continua sendo percebido, porém independente do fato de a pessoa ter fome ou não e independente da mesa, do prato ou de outros detalhes talvez presentes no momento da contagem. Abstraído do conjunto, o pão será diferentemente relacionado. Numa *ordenação de grupo*, o pão será comparado, como objeto caracterizado por determinadas feições, a outros objetos similares que se encontram na mesa. (Ou será comparado a objetos similares que estão ausentes. Poderia, por exemplo, haver só cinco pães na mesa porque um fora esquecido na padaria.) Não se trata mais daquele pão particular que se quer comer, naquele instante, e sim de *um* pão, um de meia dúzia de pães. Um pão eventualmente a ser comido, mas que eventualmente poderia ser examinado quanto à composição química. Ou seria pesado e medido, e poderia ser comparado a outro objeto, não necessariamente pão, em termos de gramas e centímetros.

Quando a intenção é uma contagem, o relacionamento que se estabelecer e a configuração que daí resultar, não serão o mesmo relacionamento nem a mesma configuração (embora talvez incluam os mesmos objetos) da situação "pão-fome". Contar e, por conseguinte, comparar, envolve sempre um processo de abstração. Como vimos, nessas comparações tanto se abstrai da substância do objeto e de sua forma global, quanto se abstrai do tempo e do espaço real em que ocorre o relacionamento. A abstração é um fator preponderante em todas as operações intelectuais.

Nas ordenações de grupo se generaliza e se conceitua. Nas *ordenações de campo* se acentua a unicidade de um acontecimento; o fenômeno é dimensionado dentro de sua existência sensual. Os vários dados da situação são vistos interligarem-se, isolando o acontecimento e estabelecendo-o como fato concreto e único que ocorre em um momento também concreto e único. E talvez, em certas ocasiões, torna-se necessário ao homem poder antes de tudo isolar certos fenômenos e identificá-los enquanto presenças, porque nelas o homem capta a sua própria presença e se identifica perante si mesmo. Ele precisa dar um nome às coisas. Em seu livro *An Essay on Man*, Ernst Cassirer[2] faz o comentário penetrante de que "a função do nome sempre se restringe a sublinhar um aspecto particular de uma coisa e, precisamente, dessa restrição e limitação depende o valor do nome". E mais adiante: "O isolamento desse aspecto não é um ato negativo e sim positivo... selecionamos, a partir da multiplicidade e difusão de dados sensoriais, *certos centros fixos de percepção. Esses centros não são os mesmos do pensamento lógico ou científico*".

O exercício dos diferentes relacionamentos não pode ser programado. Seria de todo impossível pois esses relacionamentos surgem na percepção como um desdobramento espontâneo por que o homem vive e configura sua experiência. Através do enfoque predominantemente sensorial que se dá em *ordenações de campo*, a percepção de si, das matérias e do próprio fazer, articula-se sempre de um modo mais subjetivo e específico, e mais direto. Nas *ordenações de grupo* em que se compara e se generaliza, a percepção pode ser entendida como sendo mais objetivada[3] nos fenômenos – na própria maneira de se percebê-los – e como tendo implicações mais racionalizadas; essas ordenações permitem ao homem enveredar, pensador e experimentador que é, pelos invisíveis e imprevisíveis caminhos da elaboração intelectual.

Ambas as modalidades, como vias de conhecimento, são influenciadas pela cultura dentro da qual o indivíduo se desenvolve e forma os seus valores. Interligando-se com o aculturamento há, porém, para todos os seres humanos e em todas as culturas, um processo de crescimento biológico no qual as *ordenações de campo* surgem como relacionamentos iniciais. Quando no começo deste capítulo falamos do bebê e descrevemos como se formam os relacionamentos, de fato já os exemplificamos com processos de percepção que se organizam a partir de ordenações de campo. É um desenvolvimento geral. O enfoque do bebê aborda situações em termos de eventos muito próximos um do outro, ou eventos que abrangem outros eventos. Dessa maneira o bebê começa a discriminar e a identificar as coisas que acontecem. Ao mesmo tempo se estruturam certas qualificações. Sem que necessariamente viesse a distinguir os com-

---

2. CASSIRER, Ernst. *An Essay on Man*. New York: Doubleday & Co., 1944, p. 173 (grifos nossos).

3. "Percepção mais objetivada", porque as comparações que fazemos não centram em nós e sim nos objetos – procuramos colocar-nos fora, evidentemente em termos, ou seja, na medida que humanamente for possível colocar-se fora dos fenômenos. Também influem fatores culturais, não só os conhecimentos como também o fato de a cultura prestigiar a objetividade como aspiração.

ponentes das situações ou a causalidade operante entre elas, é possível que o bebê sentisse o "envolvente" como algo aconchegante, protetor, ou talvez, até, como sufocante. Em sua memória, tais valorizações se gravariam como conteúdos psíquicos de imagens referenciais; qualificarão novos acontecimentos, ainda que nos detalhes circunstanciais estes divergissem da situação original.

A criança pequena tem uma visão sincrética do mundo[4]. Percebe em totalidades. Se ela conheceu a figura do pai com óculos, é-lhe difícil reconhecê-lo sem óculos ou os óculos sem pai. As coisas ainda não são separáveis, ou então separadamente pertencem a outras situações. Adquirem outras identidades. Aos poucos, o bebê torna-se capaz de distinguir os componentes fora das situações conhecidas. Poderá encontrar os óculos sem o pai, como objeto em si, e efetuar novas ligações. Aprende a separar as coisas, a discriminá-las separadamente. E também dentro de si, a criança começa a se diferenciar, discriminando sua existência em níveis diversos. Poderá aos poucos sair do estado egocêntrico, poderá reencontrar sua própria identidade em novos contextos e participar interiormente de outras relações. Poderá generalizar e comparar. No início, isso não lhe era possível. Ao contrário, em seu estado totalmente indefeso e dependente a criança tinha necessidade de sentir que tudo convergia para ela. Não podia ainda projetar-se para fora. Representa esse um novo nível de relacionamento para a criança, um nível que, embora intelectual, antes teria que ser emocionalmente estruturado dentro dela.

No processo de crescimento biológico existem, portanto, etapas no tempo. De certo modo, a segunda etapa, a de ordenar por agrupamentos, estará vinculada ao desenvolvimento da primeira porque é essencial ao ser humano pode identificar algo antes de poder compará-lo. Assim, à luz da formação da personalidade, essa primeira etapa, envolvendo a capacidade de viver e identificar as coisas de modo sensorial e de se vincular a elas afetivamente, poderá dar melhores condições para desenvolver a segunda etapa, mais intelectual, de comparações e abstrações. Ou inversamente, quando não bem estruturada a primeira etapa, ela poderá bloquear a segunda. É o caso de pessoas inteligentes que, por razões afetivas, não desenvolveram suas faculdades intelectuais além de certo ponto e que, sobretudo, nunca chegaram a se realizar criativamente.

As duas vias de relacionamento – uma mais sensorial e a outra mais intelectual – representam atitudes diferentes. A título de hipótese de

4. PIAGET, J. *The Child's Construction of Reality*. London: Routledge & Kegan Paul, 1955.

trabalho aqui as colocamos nos polos opostos da percepção. Mas ambas as modalidades começam desde cedo a interpenetrar-se e a encaminhar juntamente a elaboração mental dos dados da realidade. E não caberia ver, na distinção, algum tipo de hierarquia. Sem dúvida, a própria maneira de se relacionar é qualificadora, pois ela é qualificada em si; ao configurarem os fenômenos segundo um enfoque determinado, as modalidades já interpretam e de certo modo encerram valorações. No entanto, não se pode dizer que em si uma seja "melhor" do que a outra. Como possibilidades de compreensão que se complementam, ambas as vias de relacionamento são fundamentais, e poder lidar bem com ambas seria fundamental. Ambas deveriam poder desenvolver-se no indivíduo a fim de adequar-se, cada uma proporcionalmente, às intenções e às propostas do seu fazer[5].

Há de se ver, contudo, que sobre as potencialidades humanas sempre incidem aspectos culturais. A cultura estabelece prioridades. O contexto cultural em que se forma a personalidade do indivíduo, implicitamente orienta e às vezes até propõe a maneira por que *devem* ser desenvolvidas as modalidades de relacionamento. O que aqui queremos considerar são certas consequências negativas que derivam do fato de uma hierarquia de valores ter sido estabelecida pela nossa cultura; ela determina a superioridade daqueles relacionamentos que levam a formular abstrações e conceitos. Trata-se, certamente, de um desenvolvimento histórico, herança de séculos passados; nós o analisamos porquanto ele afeta a realização de nossas próprias potencialidades criativas.

Sabemos que em outros contextos culturais, contextos sociais anteriores e mais primitivos, o homem se vinculava à vida através de um enfoque predominantemente sensual-afetivo. Indagando dos fenômenos, procurou compreendê-los dentro de situações concretas globais (nas magias, nos totemismos, nas mitologias). Simbolizava, mas sem abstrair ou con-

---

5. DEGLIN, Vadim L. "Nossos dois cérebros". *O Correio da UNESCO*, Ano 4, n. 3, março de 1976.
De acordo com pesquisas recentes, e fascinantes, presume-se existir uma assimetria funcional no cérebro humano. Os dois hemisférios cerebrais desempenhariam funções específicas na percepção; as funções se complementariam, mas também se inibiriam a fim de garantir a especificidade da resposta adequada em dados momentos.
Enquanto no hemisfério direito se articulariam as imagens sensoriais da realidade, de modo direto e imediato, no hemisfério esquerdo se articulariam os processos de conceituação e de abstração do pensamento e da linguagem simbólica. Ainda as diferentes funções parecem vincular-se a determinados estados afetivos. Assim, no hemisfério direito, da fixação das imagens, reputado como sendo o mais arcaico, o

ceituar. Relacionava sempre, imaginava, associava, concebia múltiplas ligações entre os fenômenos; não os conceituava, porém[6]. Era então a única via possível ao homem para abordar a realidade, para tentar compreender, influenciar e dominá-la.

O fato de a humanidade em seu caminho histórico relacionar-se de início mais sensorialmente com o mundo é irrecuperável no tempo. E talvez a "ingenuidade" dos pensamentos nem signifique um paraíso perdido. A vulnerabilidade dos homens num meio ambiente incontrolável, a magnitude dos problemas de sobrevivência devem ter sido aterradoras. No curso do desenvolvimento histórico, a abstração, a racionalização e a conceituação representam uma aquisição mais recente da humanidade. Sem dúvida, representam também, além da ampliação de conhecimentos, um enriquecimento. Foi, e poderia ser em grau sempre crescente, um processo de humanização. E não haveria por que renunciar a isso.

Sucede, porém, que a cultura em que vivemos vai ao outro extremo. Até parece que não existe a experiência sensorial para o homem. Só se admitem como válidos e "reais" aqueles relacionamentos que conduzem a definições e a conceituações. Estas têm absoluta prioridade cultural. Mais do que implícito, está explícito em todo clima mental de nossa cultura, na educação e nos valores culturais, em tudo o que vem a moldar nossa consciência. Vemo-lo a partir do aculturamento da criança, nos próprios brinquedos que lhe são oferecidos[7], seguindo-se um sistema de

---

teor afetivo seria mais depressivo e melancólico, ao passo que as funções do hemisfério esquerdo, mais intelectual, seriam acompanhadas por um estado de espírito mais sereno e otimista, até eufórico.

6. Ainda Ernst Cassirer, no livro *An Essay on Man*, cita (p. 175) a descrição do antropólogo Karl von den Steinen (no livro *Unter den Naturvölkern Zentral-Brasiliens)*, que diz: "na língua Bakairi, um idioma falado pelos índios brasileiros (Brasil Central), cada tipo de papagaio e cada tipo de palmeira tem seu nome próprio individual, enquanto não existe nenhuma expressão genérica para a espécie papagaio ou palmeira".

7. Como "modelo" do mundo adulto, os brinquedos fornecem um dado revelador sobre as propostas de uma cultura: repare-se, nos objetos produzidos pelas grandes indústrias de brinquedos, que o importante é ter *conceituado* o objeto. De resto, reina total insensibilidade quanto aos materiais que as crianças vão conhecer, pelo tato, pela visão, audição, etc., e através dos quais se conscientizam da realidade do mundo, realidade física e não menos psíquica. Por exemplo, veja-se a atitude obsessiva na caracterização dos detalhes, o carrinho com todas as portas e maçanetas e dobradiças e luzes, possivelmente acionados de modo realista por controles remotos, e ainda o motorista do carrinho sentado e devidamente arrumado, ao passo que pouco importa o fato de a criança poder sentir de que matéria se constitui o carrinho, se a folha

ensino que parece visar apenas a uma retenção mecânica de fórmulas e conceitos, ou métodos de instrução preparando os jovens para participarem de atividades produtivas sociais, cujo aprendizado permanece largamente teórico (mesmo nas áreas técnicas). Não existe quase nenhum contato com matérias, com processos de trabalho, com pessoas. O conhecer reduziu-se a um saber, e o saber, a um teorizar. A compreensão sensível das coisas, integrando experiência e inteligência parece ter sido abolida. Com todo apreço, por exemplo, que se dá a certas obras de arte, despreza-se em verdade o que na forma artística existe de essencial: a condensação poética da experiência como via de conhecimento da realidade. Não seria por acaso que, hoje em dia, as palavras *poético, lírico*, possam surgir até com conotações pejorativas, como visões desligadas da realidade do viver. Desde que não conceituam nem racionalizam, não abrangem a racionalidade do homem. De fato, o que não condiz com o "racional" como está sendo entendido por nossa sociedade, um racional mesquinho e calculista, de interesses pessoais imediatistas, de pronto é tachado como sendo apenas "irracional" ou até mesmo inútil.

---

de Flandres foi tratada como um metal, ou como matéria plástica ou como madeira, ou borracha, ou como qualquer coisa. Parece ser indiferente a criança poder sentir a correspondência entre as formas do carrinho e o material usado.
Trata-se de inconfundível desconsideração da existência concreta das matérias. Essa indiferença pelo ser material, que é indiferença também pelo prazer sensorial em nós, tira da criança, desde pequena, a possibilidade de uma imaginação ao contato com a matéria, de com ela poder improvisar e criar formas. A matéria já vem conceituada e traz a realidade definida com ela. Deixa pouca margem para a criança criar. A boneca já tem toda uma série de comportamentos estereotipados, chora, ri, se molha, junta as mãozinhas, "fala", joga tênis, tem namorado. A pintura, o futuro quadro, já vem subdividido em áreas numeradas. A criança não precisa pintar. Só precisa saber distinguir os números, pois cada área numerada corresponde a determinada cor, ou aliás, nem à cor, e sim a determinado lápis. (E não vale dizer que "as crianças gostam disso". Evidentemente são os pais que gostam desses brinquedos – são eles que os compram e com eles 'brincam'. Ensinam às crianças como brincar.) Assim a criança *manipula* as coisas, o carrinho, a caixa registradora, a máquina de lavar roupa, fraldas, batom, peruca para a boneca. Começa a moldar sua realidade a partir da realidade inteiramente determinada dos adultos. Mas *não brinca*.
Subjetivamente, pode existir uma intenção boa ao se dar esses brinquedos para a criança. Não é isso que se põe em dúvida. No entanto, há ao mesmo tempo uma atitude negativa – atitude decisiva – de sonegar à criança o direito e a possibilidade de criar espontaneamente. Não se respeita sua curiosidade pela vida, pelos objetos, pelas pessoas, pelo fazer, nem se respeita sua sensibilidade. E a criança observa a atitude dos adultos ante o objeto, atitude indiferente e insensível à forma, à matéria e aos conteúdos expressivos. Aprende-a como procedimento normal. É "a realidade". Fornecerá os parâmetros para o que mais tarde considerará belo, adequado e equilibrado.

O desdém pela experiência sensível do homem reflete o desinteresse pelo próprio ser humano, por sua afetividade e suas potencialidades criativas. Revela a indiferença pelo caráter sensual do viver e pela unicidade da vida. Põe em evidência o clima alienante de nossa sociedade. Esse clima ainda o reencontraremos em vários momentos culturais – com as piores consequências para a criatividade dos indivíduos. Pois que, além de colocar O CONCEITO num pedestal – embora na realidade se reduza a capacidade humana de conceituar a um mero classificar e rotular, a uma atividade que raramente ultrapassa o nível de fórmulas para tão raramente identificar-se com qualquer tipo de compreensão – produz-se em todos os planos sociais, de convivência, de informação, de educação, do trabalho e mesmo no lazer, uma tamanha *dessensibilização*, que é verdadeiro milagre as pessoas sobreviverem com alguma medida de integridade e de individuação do seu ser.

O que aqui procuramos colocar não é, evidentemente, o ser humano menos intelectual – e sim a *inteligência* em vez da mera intelectualização: a inteligência amadurecida, complementada em todos os momentos pela sensibilidade da pessoa, e pela sua maturidade emocional.

Ordenações de campo

Voltamos ao episódio pão-prato-mesa-fome. Como se viu, há nessa relação dados das mais variadas áreas do nosso ser, dados físicos, fisiológicos, psíquicos, visuais, tácteis, comportamentais e assim por diante. Os diversos dados se concentram em nossa atenção e formam um campo ambiental, que está sendo percebido através de correspondências "topológicas": proximidades, convergências, inclusões, separações, dispersões. Sobretudo tornam-se expressivas as relações ambientais abrangentes[8], isto é, percebemos que algo se encontra dentro ou fora de outra coisa, *algo envolto por algo envolvente.*

O abranger, aliás, configura o que chamamos de compreender (*compreender*, o termo verbal ilustra-o com uma imagem de espaço precisa

---

8. KÖHLER, Wolfgang, *Gestalt Psychology* – An Introduction to New Concepts in Modem Psychology. New York: Mentor Books, 1947, p. 98: "embora os estímulos locais (em nosso registro sensorial) sejam independentes, evidenciam determinadas relações formais, como, por exemplo, as da proximidade e similaridade. Nesse sentido, os estímulos repetem relações formais que existem nos elementos de superfície dos objetos físicos. Essas relações formais (nos objetos físicos) são preservadas como relações correspondentes entre os estímulos, e uma vez que a organização (da forma percebida) é dependente dos últimos (das relações entre estímulos), deve depender também dos primeiros (das relações entre objetos)" (parênteses e explicações nossos).

belíssima). E nas abrangências, nesse dentro-fora simultâneo, também se baseia nossa noção de *contextos-conteúdos*.

Destacando-se momentaneamente em nossa atenção, o campo ambiental parece ressaltar do fluxo do ocorrer. Nosso interesse se dirige espontaneamente para a parte central do campo, onde procura focalizar certas diferenciações. Nesse ínterim, o espaço-tempo circundante passa a constituir uma espécie de *fundo* relativamente indiferenciado em nossa percepção e tende a recuar.

No fluir da vida, a vizinhança das coisas é um aspecto estritamente local e não raro sujeito a alterações. Por essa razão, pela espontaneidade com que um fator qualquer pode vir a alterar o complexo todo, pode por novas proximidades constituir-se em limiar crítico de nova relação, pode introduzir novas proporções e um novo equilíbrio, transformando uma fase anterior em fase posterior, as ordenações de campos se caracterizam para nós como um "acontecer". Configuram situações como se fossem momentos de um processo instantaneamente detido. A extensão e a configuração do campo em cada caso particular dependem de nossa atenção. Se nossa atenção for desviada para outro evento, o campo se desvanece, isto é, deixa de existir como relacionamento e como forma.

Nossa vigilância tem diversos níveis, variando de um estado de concentração focalizada a um estado de atenção subliminar. Enquanto estivermos concentrados na forma de um determinado campo, permanecemos conscientes de áreas periféricas com uma atenção mais difusa. Qualquer alteração nessas áreas, sobretudo se for abrupta e envolva algum tipo de movimento, imediatamente atrai nosso interesse[9]. Poderão assim as periferias tornar-se a nova situação, centro de nossas atenções.

Sempre extraímos um campo de outro campo, maior, menor, este de outro campo e, por sua vez, de um outro e de outro. A continuidade da integração de campos é percebida por nós, num processo em que conscientizamos os relacionamentos, como o "fluxo" do ocorrer.

Nas áreas focalizadas por nossa atenção, áreas físicas ou mentais, interagem e se integram vários dados, muitas vezes em si indelineáveis porque instáveis dentro da fração temporal e espacial em que se apresentam. É verdade que não podemos captar os dados isolados, individualmente, nem abstratamente os podemos conceber, nem concretamente

---

9. VERNON, M.D. *The Psychology of Perception*. Londres: Pelican Books, 1962, p. 168: Sobre estímulos simultâneos: "o que geralmente acontece é que a atenção da pessoa alterna rapidamente entre duas sequências que ocorrem ao mesmo tempo. De fato, tem sido demonstrado que a percepção totalmente simultânea de mensagens visuais e auditivas é impossível".

os representar enquanto partes separáveis de uma totalidade dinâmica (seria como pretender ilustrar com lâminas microscópicas um processo vivo de desdobramento celular). Ainda assim resulta de sua presença conexa uma unidade diferenciada. Ela se distingue do meio ambiental como um todo, como algo que é em si determinado, pois há nesses dados indicações de aproximações e afastamentos que se acentuam para fornecer-nos os fulcros, as extensões e as cisões dos eventos. Por exemplo, podemos perceber um rápido sorriso. Em realidade, como se delimita um sorriso? Mas nós o vemos. Na sequência de indistintas contrações musculares do rosto, podemos dar-lhe uma unidade situacional. Podemos até avaliar-lhe conteúdos e subentendidos, interpretando o sorriso – este sorriso – como eventualmente cínico ou meigo, referindo-o em nossa mente a outras circunstâncias vividas.

Pelo enfoque, a concentração de dados se distinguiu como um momento de unicidade recolhido do tempo e do espaço. Embora sujeitos a alterações contínuas, naquele instante os dados foram condensados e, convergindo, tornaram-se forma. Na percepção de um campo, nosso modo de relacionar sempre procederá *de grandeza maior para menor*, para um estado *específico focal*.

Ordenações de grupo

É nisso, essencialmente, que diferem as ordenações de grupo: no modo de se fazerem as ligações. Agrupando através de comparações, relacionamos *de grandeza menor para maior*. Procuramos, e portanto encontramos, o *genérico* antes do específico.

Ao agrupar dados, físicos ou mentais, por qualquer tipo de analogia formal que possamos conceber, abstraímos nos fenômenos concretos aquelas irregularidades e os pequenos desvios que perfazem a unicidade de cada evento, em favor de uma base comum em que sejam comparáveis.

Ao comparar, generalizamos. Separamos. Podemos traduzir, transferir, transpor. Novas qualidades estruturais podem vir a se realizar a partir de fatores que são individuais e individualmente separáveis, em integrações novas. Podem surgir sistemas de correlações comparativas, equações matemáticas, estatísticas, lógicas, filosóficas, métodos de análise e de pesquisa, a sistematização do pensamento e do conhecimento humano. Em complexidade e também em escala, a forma das ordenações de grupo pode ser mais ampla do que é possível na das ordenações de campo (cuja extensão, lembramos, depende do tempo em que concentramos nossa atenção ao evento particular).

Uma vez configurada, a forma das ordenações por agrupamento alcança um alto grau de estabilidade nas interligações internas, assim como certa autonomia perante o meio ambiente, podendo retroceder no tempo ou projetar-se, o que novamente seria impossível às ordenações de campo. Deve-se isso a um fato subentendido do qual nem sempre tomamos conhecimento consciente: ao se agruparem os fatores componentes da ordenação, configura-se também o que acontece entre os componentes, isto é, igual ênfase estrutural pertence aos componentes e às suas intermitências.

Na ordenação de grupo, *componentes e intervalos* se determinam reciprocamente e se qualificam. *Ambos são aspectos formais da mesma relação*. Para ilustrar esse princípio estrutural usamos um exemplo de arte, a escultura de bronze grega "Poseidon", do século V a.C. Nessa estátua (o tridente na mão direita perdeu-se), a ação ordenadora se estende tanto aos elementos esculpidos, aos volumes, espaços convexos, quanto aos intervalos espaciais, aos vazios, espaços côncavos Poderíamos tentar visualizar os braços numa posição mais baixa, mais junto ao corpo. Não só se perderia a grande horizontal impulsionada pelo braço direito levemente elevado, traçando e dirigindo a amplidão do espaço. Numa alteração de intervalos (portanto, alteração na forma total) perdem-se as proporções da estátua e o maravilhoso balanço entre a energia dos braços estendidos e a vibração das pernas, apoiada uma no calcanhar e a outra na ponta dos dedos do pé. Perdendo as proporções, perde-se a tensão exata entre controle e relaxamento, perde-se a medida interior desse deus tão sublimemente humano, perde-se seu caráter heroico.

Na forma expressiva, o negativo se torna tão importante quanto o positivo, o *não ser* é também um modo de *ser*.

A obra de arte ainda nos permite ilustrar um outro problema. Problema importante. Podemos verificar de que maneira, e em quais funções, as *duas modalidades de relacionamento se encontram presentes* e se sustentam na comunicação de um conteúdo expressivo. Em todas as obras de arte, em qualquer das artes, o artista usará concomitantemente as ordenações de grupo e as de campo; em sua linguagem se complementarão ao mesmo tempo aspectos intelectuais e sensuais da experiência. Como ordenações de grupo, havemos de reconhecer um padrão coerente segundo o qual se determina a dinâmica da obra, nas proporções e no ritmo dos vários componentes (componentes e intervalos), ao passo que através de ordenações de campo se configura a especificidade material da obra em termos de sua existência concreta e única. Assim, pela linguagem, a obra de arte afirma em nós a dupla experiência: a do fenômeno do ser e a da ordem do ser.

Ilustração VII
"POSEIDON" DO CABO ÁRTEMIS, escultura de bronze grega, aproximadamente 450 a.C.
Museu Nacional de Arqueologia, Atenas

Semelhanças, contrastes

Os componentes que entram numa ordenação de grupo, que são comparados entre si e ligados à base de sua semelhança, naturalmente não precisam ser iguais. Eles devem ser "semelhantes". A rigor, nem é possível especificar no que consistem as semelhanças. O critério é flexível e pragmático, de equivalência e afinidades, de intenções até, valendo o que na prática seria considerado parecido.

Quando não semelhantes, os componentes devem ser dessemelhantes, isto é, a diferenciação ainda deve permitir um denominador comum, à base do qual se estabeleça o relacionamento. Constituirá então um contraste. Por exemplo, um ângulo contrasta com uma curva. Mas um ângulo e uma maçã, já não seriam nem semelhantes nem dessemelhantes. Seriam categorias diversas, não comparáveis. Não haveria como associá-las numa ordenação de grupo.

O que for semelhante, fisica, intelectual, emocionalmente semelhante, *tende a atrair-se*. Atraindo-se, agrupa-se e funde-se em entidades maiores.

O que for dessemelhante tende a destacar-se. Destacando-se, o contraste se segrega no contexto.

Entretanto, veja-se a dinâmica da percepção. Quando se segregam num contexto de semelhanças, *os contrastes também serão atraídos*. Apenas, a aproximação se dará de outra maneira. Será uma *oposição* em vez de *fusão*.

A noção da qual não se vai descuidar é que relacionar significa interligar. Assim, mesmo no "ser diferente" de um contraste haverão de prevalecer os aspectos de ligação. Ao se segregarem os contrastes, eles de fato não se desligam; coexistem com as semelhanças e cada qual reforça reciprocamente o caráter do outro. O que muda é a função que os contrastes e as semelhanças desempenham na forma. E, de acordo com a função, muda o seu significado. Enquanto as semelhanças são percebidas como tantas repetições ou variações, ou passagens, os contrastes constituem tantas ênfases, oposições ou mesmo cortes. De modo geral, pode-se notar o seguinte aspecto expressivo: quando algum contraste, menor, maior, destaca-se e com isso se segrega dentro de uma forma, menos, mais, conforme for o caso, ao segregar cria um distanciamento. O distanciamento poderá ser de ordem física e psíquica; de ordem psíquica será sempre, já pelo fato de o contraste ter-se segregado antes de se aproximar. Em outras palavras, ao interligar-se ao grupo *o contraste carrega uma tensão espacial maior* do que as semelhanças, e *tensões emocionais correspondentes*.

Nas obras de arte, esse aspecto constitui a um tempo aspecto estrutural e expressivo. Regula o movimento interior. As semelhanças, percebidas como variações e sequências rítmicas, modulam o curso da ação, ao passo que os contrastes o interrompem e o intensificam. Consequentemente, quando as semelhanças predominam numa obra, encontramos conteúdos expressivos de caráter mais lírico, ou, então, numa escala física maior, configura-se um conteúdo épico. Quando predominam os contrastes, articulam-se conteúdos mais dramáticos. (Naturalmente, com essa contraposição em categorias nítidas e como que exclusivas de "ou lírico ou dramático", apenas pretendemos esclarecer o princípio atuante. A realidade se compõe de infinitas graduações e interpenetrações.) Por exemplo, Van Gogh. Em sua obra tardia predominam os contrastes. Quando Van Gogh usa cores fortes não é só o grau de intensidade cromática que conta, também é a maneira como ele ordena as cores na relação colorística mais contrastante, na de cores complementares[10]. Nessa elaboração da cor, Van Gogh indica os grupos complementares, mas amplia a tensão espacial de cada componente, fazendo as várias escalas de cor entrarem em tonalidades parentes e distendendo-as ao máximo antes de finalmente reuni-las e "fechar" a complementar numa oposição direta. Tornamo-nos conscientes de um percurso cheio de extensões e obstáculos, de uma movimentação interior enorme, independente ainda da pincelada agitada dos quadros. Por essa razão, um simples vaso de flores, assunto em si tão calmo e inocente, pode nas mãos de Van Gogh ganhar repercussões trágicas.

Totalidades, partes, níveis

A noção de totalidade, de um sistema total vinculado a uma série de eventos que nele acontecem sem que perca a característica de um todo e, no momento em que a perde, em que é rompido como totalidade, a noção de partes a se formarem e talvez a se inteirarem em um outro todo – essas, sem dúvida, são noções difíceis. Mas são relevantes para o significado da forma e, nesse caso, para o ato criador.

Certas parcelas de um todo poderiam ser vistas existirem separadamente e preservarem um determinado grau de consistência interior e de organização própria, uma determinada autonomia de função. Seriam as

10. Grupos de cores: vermelho-verde, azul-laranja, roxo-amarelo; os componentes se reforçam visualmente e se atraem através de intervalos espaciais; quando as cores se encontram contíguas no plano, a intensificação mútua tem a força de uma fusão.

partes genuínas em que se subdividiria uma totalidade; não seriam apenas fragmentos, ou detalhes seccionados ao acaso.

A ideia de partes é válida para objetos, ou para configurações que sejam concebidas como estáveis num espaço-tempo também concebido como relativamente estável. Em formas artísticas, as partes correspondem a divisões internas produzidas por contrastes. Subdividido em áreas subordinadas e dominantes, áreas de transição e áreas de clímax, o todo pode ser percebido como um conjunto composto e articulado em seu conteúdo expressivo – a função das partes sendo precisamente a de explicitar uma totalidade que contenha uma medida de desenvolvimento interior. Só assim a estrutura pode tornar-se forma simbólica e pode comunicar o conteúdo expressivo[11].

Quando, no entanto, passamos para o âmbito de configurações de ordem funcional, isto é, à base de relações e de inter-ações no tempo e espaço, encontramos níveis, em vez de partes ou subdivisões. São níveis de integração – como fases de um processo – anteriores talvez a outros níveis integrativos mais elevados, quantitativamente mais ricos e qualitativamente mais complexos. Qualquer processo de crescimento orgânico ou cultural, qualquer sequência que abrange desdobramentos, ou separações levando a novas separações ou a novos desdobramentos, o exemplificam.

Como momentos particularizados de um processo de transformação, as várias fases não se encaminham de um todo para suas partes ou, em sentido contrário, das partes para um todo. Seguem, antes, de um nível integrativo para outro, de uma estruturação para outra, de uma configuração para outra configuração. Pela dinâmica da transformação, em cada nível surgem, por assim dizer, totalidades estruturais; no curso de um desenvolvimento tais totalidades se referem a outras totalidades estruturais, e o significado que elas adquirem lhes advém de sua função ao longo desse desenvolvimento. Cabe considerar, ainda, que, num processo, não só o desenvolvimento é um contínuo, como também é irreversível a modos anteriores, irreversível no tempo.

Se à luz dessas observações retomamos a noção da totalidade e suas partes, queremos por um lado mostrar o sentido relativo da noção e, por outro, aproximá-la da noção de contexto-conteúdo. Nenhuma forma é tão autônoma que constitua uma totalidade isolada. A obra de arte precisa de um espectador para se completar, e com cada espectador ela se completa de maneira diferente. Tampouco há, para nosso vivenciar, al-

---

11. Para uma definição da forma simbólica, cf. a nota 14, capítulo 1.

gum conteúdo sem contexto – e não há contexto tão fechado em si que não envolva contextos mais amplos. Naturalmente, a conceituação de totalidade-partes continuará a ser usada por nós; sempre, porém, tendo em conta que se trata de sistemas de referência. Em determinados momentos da experiência, avaliamos os fenômenos do ponto de vista de um estado de ser, em outros momentos, do ponto de vista de um processo, e sempre os julgamos em relação a contextos implicitamente formulados. A noção dos níveis integrativos parece-nos valiosa, tomando por base o processo do ser, como uma última totalidade que se constitui de infinitas transformações.

Níveis integrativos, qualidades

Segundo os níveis de integração – e são incontáveis nas matérias e nos modos de ser – podemos constatar algo que é tão misterioso quanto a própria vida: a cada nível, de acordo com a crescente complexidade de organização nos inter-relacionamentos, surgem *qualidades novas*.

Essas qualidades não são sempre previsíveis, por mais completo que seja nosso conhecimento das propriedades inerentes às estruturas precedentes. Nem seriam explicáveis em termos de uma combinação de possíveis relacionamentos entre os componentes existentes. São, de fato, qualidades *originais*, qualificações, propriedades novas. Podem até não corresponder às propriedades de um estado anterior, porquanto essas qualidades novas se originam exclusivamente nas condições estruturais da nova configuração. São qualidades que se referem diretamente às coerências da integração alcançada, à sua nova forma.

Vejamos um exemplo da química. Do gás hidrogênio e do gás oxigênio forma-se a água. Os dois gases poderiam até encontrar-se fisicamente juntos, mas, juntos, suas propriedades seriam diferentes das que surgem, quando, promovida por uma passagem de corrente elétrica, se dá uma reação em síntese. É essa *integração em um novo nível* que faz uma diferença radical entre a soma dos dois gases e os gases integrados. Não só se dá uma mudança do estado físico, o gás se converte em líquido, como também se dá a mudança de todas as qualidades e todos os relacionamentos em função de uma nova estruturação.

A água resultou da transformação da matéria física por processos de interação molecular. Caberia considerar que as mesmas substâncias originais, os dois gases, a partir de seus relacionamentos e de suas especificidades originais, ainda desempenhariam novas funções quando novamente integrados em outros níveis de estruturação. Teriam outra forma.

É verdade que, na percepção como em qualquer processo psíquico, essa dinâmica é muito menos tangível em termos concretos. Os limites das situações são menos definidos e as configurações se modificam continuamente. Parece haver um desenvolvimento sem referências fixas. Os próprios componentes individuais a serem integrados frequentemente só têm caráter relativo, só vêm a existir, tanto os componentes quanto os níveis, a partir de interligações entre o nosso perceber e certos dados da realidade externa.

Uma vez configurados, porém, os componentes não são distinguíveis senão como participantes de uma estrutura – desta estrutura – pois quaisquer qualificações que evidenciem, foram-lhes conferidas pelo complexo formado. Trata-se sempre de qualificações funcionais. Sua própria identidade enquanto componente se resumirá em determinadas funções. Não mais podemos perceber o componente, o dado, o aspecto, como ele era antes, nem como seria eventual, futura, e sim unicamente como ele se apresenta. Como funciona agora, dentro da configuração que ele também compõe, e no nível de sua integração. O "como" corresponde ao "o quê", ao conteúdo e às qualidades.

Nesse sentido, e voltando mais uma vez ao problema de totalidades e partes, vê-se como foi profunda a definição formulada em 1925, por Max Wertheimer (1880-1943), um dos autores da teoria da *Gestalt:* "O todo é mais do que a soma de suas partes". Nessa frase, podemos dizer que a ênfase não reside na palavra *mais*, está na palavra *soma*. O todo não se torna quantitativamente maior do que as partes conjugadas, nem se acrescenta alguma substância secreta. O todo se altera *qualitativamente* através de seus relacionamentos. A totalidade está sendo compreendida dinamicamente como *o modo de sua integração*, como modo de se configurar (*Gestalt* = configuração), o modo de seus componentes se interligarem. *O relacionamento* tornou-se, portanto, fator *estrutural*, não apenas fator associativo e, muito menos ainda, acumulativo.

Em qualquer contexto configurado, os vários componentes e as várias interligações definem a configuração e por ela são definidos. Definidos, são vistos como definitivos. Não poderiam ser simplesmente alterados ou retirados. Nem a configuração poderia ser reduzida a níveis anteriores, pois os níveis já foram absorvidos, os componentes foram identificados e já se transformaram em fatores participantes com funções determinadas. Se, por exemplo, desenharmos um quadrado e, dentro dele, uma cruz, não seria mais possível conhecer esse quadrado sem a cruz. Se quisermos omitir a cruz, ainda que apenas para poder visualizá-lo assim em nossa imaginação, teríamos que desenhar um novo quadrado.

Por isso é impossível voltar atrás e decompor uma forma, desagregá-la ou dissolvê-la. Novamente, *forma* não se reporta só à arte. Todas as manifestações de nossa vida e todas as experiências são formas, fenômenos estruturados e apreendidos através de processos também estruturados. Impossível, então, deveras irrealizável, é desfazer um acontecimento, eximir-se dele ou supor que não existiu. Por acontecer, o fato configura algo e, ao configurar, modifica algo. Modifica certas realidades – em nós também. A única coisa possível é elaborarmos as formas a partir de sua existência, em busca de novas realidades. Só podemos mesmo criar.

Ordenações

As novas realidades com que nos defrontamos, tornam-se inteligíveis para nós à medida que podemos atribuir-lhes algum tipo de ordem[12]. Mesmo quando certas formas nos parecem absurdas, é por suas ordenações manifestas que assim as avaliamos. Ao percebermos em qual sentido as coisas se diferenciam, percebemos ao mesmo tempo o sentido em que se ordenam. É o sentido da significação. Consequentemente, a forma em que se nos apresenta um acontecimento, artístico ou não, nunca constitui apenas uma espécie de veículo para algum conteúdo que independentemente dela pudesse existir. Pelo contrário, a forma incorpora e expõe o conteúdo significativo. Comunicando-nos suas ordenações, a forma nos comunica a razão de seu ser e o sentido.

Por isso a proposição matemática "a ordem dos fatores não altera o produto" nunca se aplica a configurações. Nas configurações, sempre a ordem há de alterar o produto, pois ela própria *é* o produto. Pela ordenação dada, contexto e conteúdo passam a se interpenetrar e a corresponder-se. A título exemplificativo ordenamos as letras S – A – C – O. Alinhando essas letras de várias maneiras, obtém-se SACO ou ASCO ou OCAS ou SOCA ou CAOS, configurações entre si diferentes e com significados totalmente díspares.

Convém assinalar a simplicidade desse exemplo verbal. Aqui as letras se apresentam ordenadas apenas por uma contiguidade uniforme e preservando no modo de serem combinadas sequências lineares que são vistas da esquerda para a direita (dentro das tradições da escrita ocidental). Além disso, de início a letra do alfabeto se apresenta orientada enquanto elemento significante por associações mais ou menos codificadas. Certos sons, vogais e consoantes, ou entonações, correspondem a parti-

---

12. ECO, Umberto. *Obra aberta*. São Paulo: Perspectivas, 1969, p. 128: "Para uma teoria de informação, a mensagem mais difícil de transmitir será aquela que, recorrendo a uma área mais ampla de sensibilidade do receptor, aproveita um canal mais vasto, mais disposto a deixar passar um *grande número de elementos sem filtrá-los*; esse canal veicula uma vasta informação, mas *corre o risco de ser pouco ou nada inteligível*" (grifos nossos).

cularidades de significação. Tais elementos significadores existem como dados anteriores aos relacionamentos e à ordenação espacial. A esses dados pré-orientados interliga-se o curso ordenador, que é também pré-orientado. Trata-se nisso, evidentemente, de aspectos culturais.

As possibilidades ordenadoras serão diferentes, e bem mais amplas, em materialidades onde sobre os fatores estruturais não incide tamanha predeterminação. Nas artes plásticas, por exemplo, os elementos visuais, ou seja, os componentes formais da linguagem visual, são poucos: COR – LINHA – SUPERFÍCIE – VOLUME – LUZ. Eles se apresentam inicialmente numa indeterminação quase total (afinal, o que em si significa um "amarelo" ou uma "linha"?), excetuando-se apenas uma espécie de predisposição – de fato importantíssima – no sentido de caracterizar possíveis formas de espaço. Em si indefinidos, os elementos visuais permitem inúmeros relacionamentos. Podem ser combinados entre si e ordenados nas várias direções espaciais e ainda em superposições, adensamentos, fusões. Lembramos ainda que, ao se ordenarem os elementos visuais, ordenam-se também os intervalos entre eles.

Ao final do processo formativo, resulta uma imagem, uma configuração visual, cuja estrutura é inteiramente visível. Do contexto formal dessa imagem, ou seja, do modo específico em que são coordenados os tantos elementos e as tantas interligações, estendem-se distintas qualificações expressivas para cada traço e cada pincelada. Em cada uma das posições no plano pictórico (em cima, em baixo, dos lados, no centro, em justaposições ou em superposições, através de possíveis semelhanças formais ou contrastes) explicita-se uma determinada função espacial. Todas as funções, agora definidas, conjugam-se e se integram em uma forma. É ela a portadora do significado. Levando-se em consideração o número reduzido de componentes estruturais que existem na linguagem visual – são cinco apenas – e a imensa diversidade estilística e de conteúdos expressivos nas obras de arte, ganha-se uma ideia da *amplitude* dos relacionamentos e dos processos de ordenação.

Outrossim, a diversidade obtida com tão poucos meios assinala com que precisão extraordinária funciona o processo relacional – na definição em que culminam as indefinições anteriores evidencia-se o *caráter significativo* inerente à ordenação.

Equilíbrio

Do ordenar, como processo de criar e de significar, processo aberto e preciso ao mesmo tempo, recolhemos um último aspecto expressivo.

Na forma configurada, concretiza-se também o exato momento de um equilíbrio alcançado.

Para o ser humano, o equilíbrio interno não é um dado fixo. Nem se trata de uma abstração ou da conceituação de um estado ideal. O equilíbrio é algo que a todo instante precisa ser reconquistado. Trata-se de um processo vivido, um processo contínuo onde as coisas se propõem a partir de uma experiência e onde, ao se reorganizarem os termos da experiência, já se parte para uma outra experiência, mais ampla.[13] No fluir da vida, nos sucessivos eventos externos e internos que nos mobilizam, cada momento de estabilidade é imediatamente questionado. Cada situação que se vive, cada ação física ou psíquica, cada emoção e cada pensamento desequilibra algum estado anterior. Introduz um fato novo, acrescenta uma medida de movimento. Desdobra algo, e nos desdobra em algo também. Obriga-nos a procurar outro momento ou novo plano de vivência e ação em que o acréscimo de movimento possa ser compensado e contrabalançado. Viver, para nós, torna-se um incessante ter-que-desequilibrar-se a fim de alcançar algum tipo de equilíbrio dentro de si.

Esses desequilíbrios em busca de equilíbrio são inevitáveis. São da essência do viver. São do nosso crescimento e desenvolvimento. Integram o conteúdo de nossas experiências, de nossas motivações e de nossas possibilidades reais. Traduzem para nós a presença vária de forças desiguais e intercorrentes em nós, de princípios talvez de oposição, originando ímpetos vitais que nos impulsionam a agir, a superar os obstáculos, a compreender e a criar.

Poder alcançar um estado de equilíbrio sensibiliza-nos como uma verdadeira conquista. O equilíbrio não anula as forças diferentes. Para o homem, em qualquer situação de vida trata-se de conviver com essas forças, viver através delas e incorporá-las com vistas a uma maior diferenciação. Com isso o homem amplia a apreensão da realidade. Quando vemos uma forma expressiva, vemos em seu equilíbrio interior que as várias forças diferentes foram de algum modo reunidas e em algum ponto compensadas, adquirindo um novo sentido de unidade. Na forma expressiva, os elementos complexos da experiência humana não se descaracterizam, eles se esclarecem a um nível mais significativo.

---

13. Em termos de uma estabilidade interior, é justamente a capacidade de fazer e desfazer, de recompor, retomar os problemas, fortalecer-se e continuar a viver.

V. Valores e contextos culturais

Em toda forma, em tudo o que se configura, encontramos conteúdos significativos e valores. Por mais fugidio que seja o instante, no fundo é suficiente ele ter sido percebido. Já o interpretamos, pois não existe a percepção, em si, isenta de projeções valorativas.

Os valores participam do nosso diálogo com a vida. Nos possíveis relacionamentos que estabelecemos e nas possíveis ordenações dos fenômenos, nas incertezas que inevitavelmente acompanham as opções, decisões, ações, nos conflitos que nos possam causar ou nas alegrias, as coisas se definem para nós a partir de avaliações internas.

A maneira pela qual o indivíduo aborda e avalia certos problemas traduz, sem dúvida, algo de exclusivo de sua personalidade. Reflete anseios c convicções de caráter particular a partir de suas vivências também particulares. Reflete uma experiência imediata do viver, experiência que é nova e única para cada ser que vive e que é reestruturada cada vez com a própria vida.

Não é, no entanto, à questão da unicidade da experiência que aqui nos voltamos nem à da motivação pessoal. Queremos considerar o fato de que, por sensível que seja o indivíduo, inteligente, com pleno acesso às informações possíveis em um dado momento, com grande poder de imaginação e com igual poder de articulação na linguagem por ele escolhida – existem aspectos valorativos que estão fora de seu âmbito pessoal.

Esses aspectos se reportam, essencialmente, a valores coletivos. Originam-se nas inter-relações sociais em um determinado contexto histórico. Formando a base das instituições e das normas vigentes, constituem o corpo de ideias predominantes em uma dada sociedade. São as valorações da cultura em que vive o indivíduo, os chamados "valores de uma época". Representam um *padrão referencial básico* para o indivíduo, que qualifica a própria experiência pessoal e tudo a que o indivíduo aspire ou o que faça, quer tenha ele consciência disso ou não.

O indivíduo talvez discorde de certas aspirações formuladas pelo contexto cultural; mesmo assim, é desse contexto que ele partirá para a crítica. Podem as aspirações ser frontalmente contestadas, sobretudo quanto a metas de vida e caminhos de realização humana – e em nossa sociedade não faltam exemplos – mas é em função do contexto e com possibilidades que surgem no contexto, que a contestação se dá. E se dá a partir de formas latentes no contexto.

O homem desdobra o seu ser social em formas culturais. O estilo, por exemplo. O estilo não se refere só a uma determinada terminologia. Abrange a maneira de pensar, de imaginar, de sonhar, de sentir, de se comover, abrange a maneira de agir e reagir, a própria maneira de o homem vivenciar o consciente e as incursões ao inconsciente. O estilo é forma de cultura. Seria de todo impossível preordenar as formas estilísticas, inventá-las, tão impossível quanto seria inventar formas de cultura ou modos de viver.

Os estilos correspondem a visões de vida. Nelas confluem os conhecimentos e as técnicas disponíveis a uma sociedade em um dado momento, os costumes, os ideais, as necessidades materiais e espirituais e certas possibilidades de satisfazê-las material e espiritualmente. Representando enfoques, seus esquemas de valores codificam determinadas afirmações e ênfases junto com determinadas negações e proibições. Delineiam o campo mental em que o indivíduo inscreve o seu mundo imaginativo e, com isso, o seu próprio estilo individual. Ainda que para o indivíduo o sentido íntimo de cada evento não precise derivar diretamente das valorações coletivas ou nelas se resumir, todavia nelas se elabora; o esquema cultural abrange uma gama de significados gerais na qual se inserem as perguntas e as respostas que o indivíduo eventualmente formule.

Com suas valorações, o contexto cultural orienta os rumos da criação no sentido de certos propósitos e certas hipóteses virem a se tornar possíveis; em outras épocas e outras visões de vida esses propósitos teriam sido inconcebíveis, assim como teriam sido inconcebíveis certas avaliações. O fenômeno em si poderia ter existido e continuar a existir, mas nunca seria questionado dessa maneira. Um exemplo, no caso, é o próprio potencial criador do homem. Sua indagação tem raízes históricas, surge no contexto do Renascimento, com o individualismo nascente visto como um valor, permitindo então a "descoberta" das potencialidades individuais como uma fonte de riqueza e possível realização humana[1] (independente do fato de as potencialidades se concretizarem na prática).

Quando mudam os estilos, indicam alterações nos esquemas de valores coletivos. Ainda que as alterações nem sempre sejam abruptas,

---

1. Nas artes plásticas começa a ser valorizado o desenho e até mesmo o esboço. Torna-se, no Renascimento, uma forma de expressão em si completa quando antes servia principalmente como fase preparatória para murais e pinturas.
Por ser tão despojado e tão imediato, o desenho representa o meio de expressão mais fácil do ponto de vista técnico, e o mais difícil do ponto de vista artístico.

seria difícil acontecer o fato de valores pertencentes a uma cultura passarem intatos para culturas posteriores. Quando inseridos no acervo espiritual de épocas mais tardias, os valores entram numa nova constelação e participam de nova mentalidade, isto é, os próprios valores mudam de sentido e parecem alterados. À continuidade histórica não corresponde uma continuidade estilística, porque raramente permanece o esquema original de valores mesmo quando subsistam os valores. Via de regra, o que em um dado contexto social tinha sido considerado fundamental, norma determinante nas instituições sociais e no convívio, em outro contexto seria relegado ao descrédito ou até seria rejeitado. Numa época posterior poderia ser redescoberto e retomado como aspiração ou reivindicação, e mais uma vez seria modificado. Quando o Renascimento descobre a Antiguidade, redescobre, além de formas clássicas, ideias e valores aparentemente "esquecidos" na Idade Média. Ao reformular os valores da Antiguidade em termos renascentistas, isto é, incluindo a ética cristã, o Renascimento reformula também os valores da Idade Média. Nessa reformulação, embora o clima mental seja o de profunda religiosidade e preserve muitas das tradições religiosas, praticamente nega a visão de vida medieval. Por outro lado, também, os valores da Antiguidade, ressuscitados, surgem como valores inteiramente novos e originais, sustentando outras relações sociais e outras possibilidades de realização para o indivíduo[2].

Na elaboração destes pensamentos não desconsideramos o fato de o homem ser produto de sua época, mas nunca apenas seu produto. Ele é algo mais. Cada homem é um indivíduo. Ao agir, inter-age com o mundo. Eventualmente ele agirá sobre o próprio contexto cultural. Por motivos talvez de ordem puramente pessoal e correspondentes a um potencial específico seu, podem desencadear-se no indivíduo respostas que, à medida que aprofundam certos valores e certas possibilidades existentes no contexto em que vive, modificam essas possibilidades para rumos diferentes. O indivíduo pode descobrir no real novas realidades, cujos horizontes novos encerram a proposta da requalificação dos valores culturais.

2. Para nós, no século XX, o problema se torna mais complexo. Não se trata apenas de comparar valores de épocas anteriores diferentes. Estamos vivendo diante de um leque de possibilidades bem mais aberto; sabemos coexistirem várias culturas, sistemas de valorações diferentes e referidos a diferentes sistemas de relações sociais. Se antes, então, o homem poderia sentir determinadas certezas, afirmar determinadas "verdades" por corresponderem à lógica do seu contexto cultural e, sem dúvida também, pelo fato de ele ignorar a existência de outros contextos, ou não poder admitir sua validez, hoje essa atitude seria mais difícil. A mesma verdade deixaria de ser verdade quando transposta para outro contexto cultural.

Todavia, em cada contribuição individual, por mais original que seja, será preciso recorrer aos esquemas valorativos vigentes no contexto cultural a fim de se poder acompanhar a extensão e o pleno significado da proposta nova.

Para ilustrar o diálogo constante e dinâmico entre o contexto cultural/padrão de valores e a criatividade individual/valores individuais, escolhemos a problemática da *perspectiva*.

A perspectiva é um sistema de representação do espaço. Projetadas sobre uma superfície, as figuras de objetos ocupam, em planos superpostos, determinadas posições de proximidade e de distância. Segundo o seu distanciamento, os objetos aparentam certas alterações de tamanho, de cor, de ângulo de luz e de orientação no espaço. Tanto os objetos como os espaços intermitentes são vistos afastarem-se progressivamente para o fundo, partindo de um plano frontal que corresponde à posição do espectador. Esse afastamento ocorre num movimento visual constante e graduado em contínuas diminuições, e dele resulta uma visão integrada da *profundidade do espaço* na forma de uma *sequência única, unificada e causal*. É a visão da perspectiva.

Ora, se olharmos para a arte medieval não encontraremos o sistema da perspectiva como configuração do espaço.

Não há por que atribuir a ausência do método perspectivo à ignorância ou falta de informação ou, mais absurdo ainda, à falta de habilidade. Diante das obras-primas da Idade Média, catedrais, esculturas, pinturas, objetos sacros, a habilidade não vem ao caso. Quanto à informação, seria pouco razoável pressupor que o homem medieval, camponês, artesão, burguês, nobre, no seu dia a dia não soubesse discriminar entre proximidades e distâncias físicas. Que porventura não avaliasse que um objeto aparecia maior porque se encontrava próximo dele ao passo que, afastando-se em seu campo de visão, apareceria menor. Decerto não cometeria erros nesse sentido. Sabia que, quando um objeto se encontrava à frente de outro, haveria de encobrir parcial ou inteiramente o de trás. Via, pois, superposições no espaço. Sabia, igualmente, porque o via nos muros e nas casas, que as linhas que seguiam para o fundo, ligando os ângulos na frente com os de trás, de linhas horizontais se transformavam em diagonais. Via, quando se defrontava com objetos enfileirados, casas ou árvores ou ruas, que tais linhas diagonais tendiam a convergir à distância. Eventualmente, poderiam até unir-se no horizonte, em algum ponto (o qual, mais tarde, seria chamado de "ponto de fuga"). Também ele via e sabia que quanto mais se afastavam os objetos tanto mais pareciam azular-se, mais perdiam sua cor própria, local, para absorver uniformemente tons atmosféricos.

Ilustração VIII
ENTRADA DE JESUS EM JERUSALÉM, século XIII, anônimo francês
British Museum, Londres

Nada mais errôneo do que supor que, ao olhar para um campo, uma montanha, uma floresta, ou mesmo nos seus afazeres dentro de sua casa, o homem medieval não pudesse enxergar e ajuizar tudo isso, *e dessa mesma maneira*. "Essa maneira" compreende os vários elementos componentes da perspectiva: as superposições no espaço, os rescorsos[3], as diminuições gradativas de tamanho, o esfriamento de cores para tons de azul, as linhas horizontais que se tornam diagonais convergentes, e o ponto de fuga no horizonte. Não é preciso pôr em dúvida que o homem medieval tinha uma noção exata de distâncias e conhecia bem os efeitos ópticos de objetos que se afastavam em seu campo de visão. Distinguia os vários fatores que compõem a perspectiva e certamente os notava.

Mas, entre notar e relacionar há uma diferença fundamental.

Relacionar é selecionar determinados aspectos e, assim selecionados, interligá-los. É configurá-los em forma significativa. É sempre dar forma a um conhecer.

Notavam-se, na Idade Média, os elementos componentes da perspectiva – isoladamente, enquanto aspectos observáveis. Nunca se chegou a selecioná-los. Ou a relacioná-los. E muito menos a organizá-los e configurá-los em um sistema único e integrado. Não porque possivelmente não se soubesse fazê-lo ou talvez, por alguma razão, conscientemente não se quisesse fazê-lo. O fato é que nem se cogitava em fazê-lo. Como vimos no capítulo anterior, todo relacionamento, quando configurado, constitui uma forma expressiva. Nesse sentido, como uma forma expressiva, a perspectiva era na época inaceitável, era incompatível com os valores medievais.

A *forma* da perspectiva contém em suas ordenações um significado que, como *valor*, coloca-se no extremo oposto ou, ainda mais, coloca-se fora da cosmovisão medieval. Implica não só uma materialização do espaço, mas sobretudo implica uma atitude racionalista ante a materialização. Essa atitude de modo algum cabia nos valores vigentes. Não se coadunava à noção de primazia do espírito onde a matéria era considerada perecível e, principalmente, desprezível, e onde ao espiritual, exclusivamente, cabiam as qualificações positivas e válidas da vida. Nem poderia o espaço, tido como atributo de um divino onipresente e onisciente, predestinado, imutável e eterno, sujeitar-se a causalidades, ser explicitado pela sequência lógica de um antes e depois. Nem ser qualificado como mensurável, demonstrável, deduzível visualmente na continuidade das passagens espaciais nas imagens, a partir do plano frontal para o ponto

---

3. É um termo usado no desenho de modelo vivo. Provém do francês *raccourcis* – encurtamento. É usado para denotar posições do corpo onde a visão frontal dá a impressão de uma redução espacial.

Ilustração IX
NATIVIDADE, século XII, anônimo alemão
British Museum, Londres

de fuga. Teriam sido limitações e identificações físicas impostas à essência divina. Teriam sido, e foram, inconcebíveis.

De fato, a configuração espacial no medievo tem outras características. Todo espaço e tempo é dado como simultâneo. Todos os detalhes, inclusive os vários episódios que pela narrativa se sucedem em lugares e épocas diversas, são dados no mesmo plano, como idênticos no tempo e acontecendo no momento. Não existe um vir-a-ser, um passado ligado a um futuro. Tudo é. Tudo continua sendo inteiramente presente e próximo. A aparência visual de figuras solenes, seres divinos ou humanos, vem salientar por gestos rituais seu caráter de símbolo e seu valor ético. Assim como quase todas as cores têm sentido simbólico: o manto da virgem – *azul*; grupos angelicais divididos em serafins – *rosa*, e querubins – *azul*; o paraíso – *ouro*; assim também as magnitudes se reportam a uma escala hierárquica: os santos são sempre maiores do que os mortais, os anjos sempre maiores do que os santos, a Madona e Cristo maiores do que todos.

A expressão artística se concentra num testemunho de fé enfatizando padrões de uma vida espiritual. Era essa a realidade válida. Não só dispensava qualquer visão de espaço em termos de perspectiva, menos ainda permitia ser abordada em termos de análise ou por métodos racionalistas.

Não haveria então como e por que a perspectiva ou outra noção de causalidade se sobrepusesse às ideias religiosas e éticas da visão medieval, de qualquer maneira já concluída e configurada. Com efeito, mesmo em Giotto (1266-1336), o grande artista que em retrospecto histórico será reconhecido como precursor do Renascimento, ainda não encontramos a perspectiva. Ainda estamos num período intermediário, de transição entre o gótico e o renascentista. O que encontramos na obra de Giotto, são indicações que evidenciam certas transformações a operar-se no mundo medieval. Lentamente, passo a passo, novas possibilidades sociais, novas atitudes, novos comportamentos começam a coexistir com a estrutura medieval e eventualmente até virão a conflitar-se com ela. Expressam novos valores que, nessa época e por ora também só no Norte da Itália, vinham-se formando.

Conquanto Giotto nunca se afaste da temática nem da iconografia religiosa vigente (também seria inconcebível para ele fazê-lo), ele os focaliza diferentemente. Ao gesto ritual e simbólico é acoplado o momento psicológico, o momento decisivo e dramático da ação. Ao espaço, enquanto categoria divina e simbólica, agora correspondem certos planos de paisagem que já interpretam as posições de pessoas e de objetos como fenômenos naturais, isto é, como sendo percebidos na natureza, embora as magnitudes hierárquicas sejam preservadas: confira, na ilustração, o

Ilustração X
FUGA PARA O EGITO, GIOTTO DI BONDONE (1266-1336)
Capela de Arena, Pádua

tamanho da Madona sentada no burrinho, bem maior do que o dos peregrinos, e até maior do que a figura de José. Mas todas as figuras, divinas ou não, já são anatomicamente observadas. Correspondem, por assim dizer, a normas e proporções humanas.

O que mais importa, porém, é que Giotto, nisso especificamente o arauto de novas eras, transforma figuras, animais, montanhas, árvores, até os anjos, em peso e volume e, presença física. Existe ar em torno deles e eles respiram[4]. O universo começa a constituir-se de matéria. É colocado ao alcance do homem. E a matéria é mostrada com tamanha dignidade que cancela a enfática negação medieval. Com toda a religiosidade de Giotto, não será mais Deus na sua existência espiritual a única imagem digna de ser contemplada.

Na afirmação da existência física material como algo positivo e digno, surge um novo valor. Posteriormente, ele se incorpora aos outros valores renascentistas. Mas cabe dar-lhe um destaque especial, pois *a afirmação da matéria* deve ser compreendida como anterior e *imprescindível*, como *premissa* para o sistema da perspectiva. Não é possível colocar em perspectiva algo que seja imaterial, que não tenha propriedades físicas.

Consequentemente, é em virtude da nova visão de mundo que admitia e, mais, aprovava a materialidade dos fenômenos, subvertendo os valores medievais, que se pôde elaborar a proposta da perspectiva. Ela pôde tornar-se a maneira expressiva para dar forma à matéria recém-descoberta. Puderam-se desenvolver as ideias de observação, de mensuração e comparação, de análise racional. Mais tarde, tornar-se-iam procedimentos significativos na exaltação de leis universais a regerem a natureza que, embora consideradas de origem divina, já puderam ser indagadas pelos instrumentos da lógica humana.

No desenvolvimento das novas formas de expressão salientam-se as contribuições artísticas decisivas (em atitudes pessoais quase que diametralmente opostas) de Masaccio (1401-1428) e Fra Angelico (1387-1455), além das de grandes arquitetos como Alberti e Brunelleschi, mas somente duzentos anos após Giotto, entre 1450 e 1480, a perspectiva culmina em um sistema uno e plenamente codificado. Na ordenação de planos e linhas que se movimentam em torno de eixos centrais, surge então a profundidade como imagem do espaço. É um espaço homogêneo, embora diferenciado, que se estende de margem a margem do quadro, articulado

---

4. De acordo com uma crônica antiga, Dante, surpreso diante dos afrescos de Giotto, teria exclamado que "pensou as pinturas representarem pessoas reais, tão verdadeiramente representavam a natureza".

Ilustração XI
CRUCIFICAÇÃO, ANTONELLO DE MESSINA (1430?-1479?)
Museu de Belas Artes, Antuérpia

através de volumes e não volumes, cheios e vazios em convexidades e concavidades aparentes. Nessa visão coerente, todas as massas e todos os intervalos fluem num contraponto rítmico e sem interrupção, em gradações proporcionais e consistentemente interligadas, para convergirem no ponto do infinito. O ponto de fuga.

O denominador comum da visão do mundo é o distanciamento físico, ou seja, o movimento de corpos físicos numa extensão imensa, física.

Não há artista renascentista que não participe dessa visão. De acordo com sua personalidade e seu temperamento individual, nessa época já individualista, cada um cria num estilo próprio característico. Basta comparar as obras de um Piero della Francesca, sua calma nobreza intelectual, com as obras de Giorgione, seu intenso lirismo (talvez fosse ele de todos o maior poeta), ou com obras de Mantegna, Botticelli, Bellini, Leonardo da Vinci, Rafael, Miguelângelo, Tiziano, para constatar a presença de indivíduos que impregnam inconfundivelmente qualquer marca que deixaram. Contudo, eles se unem na experiência comum que embasa o estilo renascentista, nessa valorização dada pelo contexto cultural à materialidade da vida.

A perspectiva é um sistema tão lógico nos relacionamentos entre a totalidade e suas partes, determina tão rigorosamente e define tão clara e plasticamente os objetos e os intervalos espaciais dentro da forma global de profundidade, que confere às imagens a ilusão do real. E tão convincente tem sido a força intelectual do conceito unificador, que em gerações posteriores se colocou a perspectiva, não a nível de um esquema perceptivo como outros[5], e sim como único e possível dimensionamento, em termos representativos, da natureza do espaço. Embora se consolidasse inteiramente só no final do século XV, a perspectiva não preservou sua estrutura básica por muito tempo. Menos de cem anos depois, ao iniciar-se o Barroco (cf. a ilustração XIV, o quadro "Caçadores na Neve", de Pieter Brueghel, 1525-1569), os eixos centrais da estrutura espacial da imagem já se tinham deslocado para posições laterais, e com isso desviaram todas as correspondências visuais para a diagonalidade. Além disso, criaram-se diversos pontos de fuga na composição (o que introduz uma crescente movimentação e maior instabilidade nos espaços e tempos articulados). No século XIX, começando com a arte romântica e culminando na arte impressionista, a própria estrutura de eixos e de pontos de fuga da perspectiva fora abolida. Mesmo assim subsiste, para a maioria das pessoas

---

5. Evidentemente, nunca esquema arbitrário, pois corresponde a valores do contexto cultural; todavia, *esquema* no sentido de uma seleção exclusiva de certos aspectos.

Ilustração XII
A BATALHA DO IMPERADOR CONSTANTINO, PIERO DELLA FRANCESCA (1416?-1492)
Igreja de São Francisco, Arezzo

Ilustração XIII
PAISAGEM COM CREPÚSCULO, GIORGIONE (1478?-1510)
National Gallery of Art, Londres

Ilustração XIV
CAÇADORES NA NEVE, PIETER BRUEGHEL (1525-1569)
Kunsthistorisches Museum, Viena

talvez, a ideia da perspectiva como aquisição final para a humanidade. Aquisição feita no Renascimento, mas válida para todas as épocas e em todas as circunstâncias, a perspectiva proporia os termos de uma "configuração realista" do espaço. Representaria, portanto, a configuração da própria realidade.

A perspectiva não é uma configuração realista do espaço e sim *racionalista*. É um sistema racional; naturalmente tem componentes emocionais. Sente-se, e com razão, que as valorações inerentes à forma da perspectiva não se referem só à matéria e ao espaço. Referem-se sobretudo ao homem. Nos eixos centrais da imagem o homem é configurado como eixo do mundo. É ele que ocupa a posição central dentro de um espaço que corresponde a seu campo visual, fixo e delimitado pelas margens do quadro. É em função dele, ser humano, de sua posição pessoal e particular, que se estabelece o horizonte. E nesse horizonte, o ponto de fuga. Na polaridade entre o homem e o ponto de fuga – ponto onde o finito se condensa e toca no infinito – estende-se uma linha imaginária atravessando o espaço. Em torno dessa linha gira o universo.

É difícil para o homem renunciar a uma visão tal como a que prevalece no Renascimento, visão egocêntrica e também afirmativa para a humanidade. Essa visão encerra entre outras, na ideia do humanismo, a proposição de potencialidades do indivíduo a determinarem o seu destino. Se, na verdade, só poucos puderam realizar suas potencialidades individuais, essas ideias representam, contudo, legítimas aspirações da época e, durante o período em que se articulam e adquirem peso, possuem uma vitalidade extraordinária. Com efeito, das primeiras gerações renascentistas até o cume da Renascença, isto é, nos dois séculos XIV e XV, sentimos em todas as obras um espírito de aventura e de descoberta do desconhecido, de curiosidade e mobilidade espiritual, uma visão positiva da vida. Apesar de guerras, misérias, pestes, o clima renascentista é um clima lúcido e ativo, nunca cético.

Nossos destinos mudaram. Outros fatos sociais existem hoje, outras interpretações, outras possibilidades, outros relacionamentos.

Na arte moderna, não se encontra a perspectiva como configuração do espaço. Seria impossível atribuir esse fato a qualquer tipo de ignorância. A perspectiva é conhecida por nós. Ela está sendo ensinada nas escolas e é profissionalmente praticada; um arquiteto, um desenhista industrial, ao projetar uma mesa, lançará mão da perspectiva. Mas hoje a perspectiva representa apenas uma técnica de projeção, um método. *Deixou de ser forma expressiva.*

A causa principal deve ser reconhecida no fato de a perspectiva não corresponder, justamente enquanto forma, às experiências em nosso contexto cultural e aos conteúdos valorativos. De certo modo, o significado da perspectiva se tornou tão alheio à nossa realidade, às nossas vivências do espaço e da própria vida, quanto por outras razões o era à mentalidade da Idade Média.

Vale repetir aqui que a perspectiva representa uma esquematização de dados. Esquematização cultural, sem dúvida. Não se identifica com a percepção em si nem equivale a ela. Pelo que hoje se sabe, os processos naturais de ver e perceber não se configuram nos termos da perspectiva (como forma de relacionamento, bem entendido). A cada momento, nossos olhos abordam uma quantidade de campos ópticos. Segundo nosso enfoque, os campos se unem e se desunem em totalidades diferentes. Criam imagens sempre diferentes, maiores ou menores, ora se discriminando certos detalhes, ora se ampliando as áreas de visão e abrangendo as periferias, ora convergindo outra vez em áreas parciais que se transformam instantaneamente em focos centrais. Através de processos seletivos interiores que dirigem a nossa atenção e onde, por exemplo, influem fatores de nossa disposição física e não menos nossos interesses, nossas expectativas e nossas emoções, dá-se uma filtragem de aspectos significativos. Em constantes comparações visuais, novos campos se fazem e desfazem e se reorganizam incessantemente. Estabelece-se uma visão multifocal em espaços e tempos variáveis. É uma visão por assim dizer "panorâmica". Ela é integrada por imagens focalizadas, imagens associadas e imagens da memória. Cada vez que se olha, esse complexo vem a ser percebido em correspondências recíprocas entre imagens físicas e mentais. No fundo, enxergamos mais do que acabamos percebendo, pois percebemos aquilo que, por uma razão ou outra e ainda de um modo determinado, recolhemos dentro do enxergar.

Se realmente quiséssemos ver de acordo com as normas da perspectiva, teríamos que construir certas situações-modelo na natureza ou num laboratório. Poderíamos colocar-nos talvez na boca de um túnel em linha reta; em todo caso, teríamos que fixar-nos em um lugar adequado onde existissem objetos enfileirados em sucessão visual bastante regular para o fundo. Tentaríamos excluir qualquer tipo de avaliação outra que a pertinente a distâncias físicas e recuo para a profundidade. Nesse ínterim também, não desviaríamos nossa atenção do centro de um campo visual definido, pois a perspectiva é uma visão estritamente focal e, ainda mais, visão imobilizada. Se o conseguirmos, terá sido sempre um processo intencional[6].

---

6. Também no Renascimento foi um processo intencional, só que culturalmente proposto.

Compreende-se, assim, que a ordenação visível na perspectiva, os campos delimitados com eixos fixos, a confluência para o fundo de planos e linhas, e o ponto de fuga preestabelecido, representa um modo de conceber o espaço. Representa uma conceituação lógica e belíssima de um espaço-tempo causal; todavia, não passa de uma conceituação. Naturalmente, para os renascentistas, a perspectiva não constituía apenas uma conceituação, e jamais um dogma em que os seguidores a transformaram. Simbolizava, como forma configurada, uma visão de mundo transfundido por valores vivos, visão do sensual da vida, da solidez e densidade da matéria, da permanência terrena.

É precisamente nessa visão de mundo, não obstante sermos herdeiros do Renascimento e de seu patrimônio cultural, do enfoque racionalista de vida e de realização individualista, que para nós os significados se alteraram. Vivemos uma outra concepção de mundo, outro clima espiritual e também outras avaliações. Os fatos mais corriqueiros nos afetam diferentemente em todas as áreas e em todos os níveis de nossa experiência. Mesmo ao leigo, por exemplo, impressiona saber que num tampo de mármore pesado e aparentemente imóvel existem incontáveis movimentos de incontáveis átomos, de elétrons girando em torno de núcleos. Impressiona saber que o que vemos como sólido se recolhe de processos atômicos e sub-atômicos onde desaparece a distinção entre matéria e energia. Impressiona saber que nesses processos não é mais possível determinar o evento individual e que existe como única certeza a probabilidade de ocorrências gerais. Se não em nível científico, certamente em nível emocional, tudo isso entrou em nosso entendimento como parte do clima mental em que vivemos. Para nós, matéria já é energia, no sentido simbólico de desdobramentos e transformações. Na verdade, a permanência se nos afigura até mais abstrata do que a transformação, sobretudo como valor de vida.

O próprio espaço, sem sermos físicos, nós o imaginamos em determinados termos dinâmicos: na forma de campos de força correlatos, cada qual em movimento contínuo, com seu fulcro, sua extensão, atração e repulsão e em interações temporais. Imaginamo-lo melhor assim do que em termos estáticos, como um espaço-envólucro fechado e com eixos estáveis que ainda pudessem referir-se a nós, seres humanos. Daí a perspectiva esgotar-se enquanto forma expressiva.

Assim não é de surpreender que, ao configurarem o "nosso espaço", os cubistas não tenham podido usar a perspectiva. Aliás, nem Cézanne a usou. E de Cézanne os cubistas tiraram praticamente todos os elementos e os métodos essenciais de construção, menos, é verdade, a visão de vida. Na visão de Cézanne, a compreensão de formas irredutíveis da matéria, formas mínimas estruturais, não invalida a compreensão da individualidade das formas de existência. Nos quadros, as árvores são árvores, a terra é terra, o céu é céu; embora impulsionadas pela mesma energia, as árvores não se confundem com a matéria da terra ou do céu. Por que milagre Cézanne ainda conseguiu esse tipo de integração, a visão de um universo onde o acontecer cósmico não descaracteriza o evento particular, é difícil de dizer. Constitui uma visão ética também. Indubitavelmente, Cézanne a viveu, do contrário não teria sido capaz de reinterpretá-la sempre e de novo.

Mas a síntese não é imitável, nem os cubistas participavam da visão de Cézanne. O que recolhem de sua obra são certos aspectos funcionais, sobretudo os princípios energéticos da estrutura espacial: as superposições de planos e linhas, os múltiplos eixos que regulam o ritmo simultâneo das áreas do quadro, e também a maneira por que Cézanne compensa pelo recuo visual para o fundo, resultante de tantas superposições, através de transições planas que restabelecem a cada momento o caráter original de superfície do plano pictórico.

Às configurações de espaço "cézannesco" os pintores cubistas injetam grandes doses de agressividade – menos motivados, talvez, por teorias sociológicas ou psicológicas que existiam na época; mais como artistas cuja obra se torna expressiva de um dado clima espiritual difundido na sociedade. A fim de alcançar esse efeito, lançam mão de certas formas artísticas retiradas do contexto de outra cultura, da arte africana[7], principalmente aspectos contrastantes. Aos poucos, a fusão estilística se torna completa e oblitera os traços de influência africana ou de Cézanne. Nasce o Cubismo, um dos estilos que haveria de marcar profundamente a arte do século XX.

No Cubismo, na fase de pesquisa mais rigorosa, a chamada fase "analítica" (entre 1910 e 1913, quando vários artistas se reúnem em torno de uma proposta estilística comum), não obstante nos títulos figura-

---

7. Para reforçar o sentido de *choque*, os artistas cubistas buscaram certos aspectos formais existentes em esculturas africanas, isto é, contrastes de ângulos-círculos, de saliências-cavidades, de formas pontudas, de talhos e orifícios, desproporções anatômicas, etc.
É claro que no contexto original em que foram criadas as obras-africanas, de culto ancestral e de ritos de fertilidade, de significados animistas, totêmicos, mágicos, esses aspectos contrastantes escolhidos pelos cubistas podem ter outra função e outro sentido. Assim, por exemplo, a forma estilizada de uma máscara africana, o nariz e os olhos articulados como enorme protuberância e dois pequeninos talhos, pode reivindicar poderes mágicos para o rosto; pode tratar-se eventualmente de um ideal de vitalidade, de uma projeção de forças, ou de uma ameaça e uma forma de proteção ao mesmo tempo, afugentando maus espíritos.

Ilustração XV
MONTANHA SAINTE-VICTOIRE, PAUL CÉZANNE (1839-1906)
Museu de Arte, Filadélfia (EUA)

Ilustração XVI
A PENTEADEIRA, 1910, PABLO PICASSO (1881-1973)
Coleção Walter P. Chrysler Junior, New York

tivos os quadros se referirem a certos objetos, é a própria estrutura do espaço pictórico que fornece a temática das obras. Vemos a superfície dos quadros subdividida em pequenos planos mais ou menos retangulares, e sempre num dos ângulos um contraste de claro-escuro bastante acentuado, ao passo que do lado oposto uma área mais neutra se estende como passagem para o retângulo vizinho. Através de constantes superposições (nas áreas acentuadas), surgem movimentos em torno de vários eixos invisíveis porém atuantes na organização de trechos maiores. O movimento pulsante parece simultaneamente condensar-se e expandir-se para os lados e para a profundidade, e, no entanto, mantém-se na superfície do quadro e referindo-se às margens.

Desmaterializado pelo movimento facetado, o espaço cubista não é em verdade tanto um espaço espiritualizado como um espaço intelectualizado, na tônica racional de áreas sistemática e logicamente superpostas. Naturalmente, isso não lhe tira seu caráter emocional. Embora na fase analítica as obras cubistas já tenham perdido os traços mais violentos da influência africana, permanecem no ritmo geral os abruptos contrastes e a fragmentação. Consequentemente, o teor expressivo dessas obras é inquieto e conflitante.

Na obra de Jackson Pollock (1912-1956), pintor americano da chamada "arte informal'" *(action painting)*, as características de inquietação e de conflito são aprofundadas e acompanhadas ainda de uma maior desmaterialização. Em lugar de qualificações intelectuais ressalta o caráter emocional da obra; ela é intensamente carregada de emoção. Não há nela qualquer referência nem a figuras humanas nem a objetos nem a paisagens. Tampouco se identificam sequer superfícies ou volumes. Falta, portanto, qualquer dado físico que possua extensão, peso ou densidade. Os elementos que constituem as configurações de espaço de Pollock são unicamente linhas. Segmentos lineares. Segmentos retorcidos. Às vezes esses segmentos se acompanham, às vezes se superpõem, retomam-se, entrelaçam-se, inflam, afinam, e subitamente cessam. Tudo isso acontece de modo veloz, descontínuo, explosivo, sem uma pausa e sem crescimento rítmico. A agitação visual parece quase romper os limites do quadro. Temos uma imagem que se assemelharia à trajetória de fragmentos movidos e acelerados no espaço, quais incontáveis estrelas cadentes que cruzassem um espaço a um só tempo.

Nos próprios termos da linguagem, através de uma disritmia exaltada que não alcança nunca momentos de paz, Pollock cria um clima angustiante. Ainda mais usando formatos monumentais como ele os usa. Sua temática não é mais o espaço, e sim as emoções, o impacto de forças que agem sobre o homem, em termos de emoção: tensão, agitação, excitação, atomização. Como é formulada, representa uma visão nada reconfortante,

Ilustração XVII
FULL FATHOM FIVE, JACKSON POLLOCK (1912-1956)
Museu de Arte Moderna, Nova Iorque

Ilustração XVIII
CRISTAIS DE ÓXIDO DE ZINCO, fotografia no microscópio eletrônico

quase sem esperanças. Nela, Pollock revela o drama do indivíduo na sociedade moderna, do ser humano que é atomizado e se desintegra em sua vida, diante de forças que o esmagam e o absorvem em ritmos incontroláveis.

Estamos longe de visões de mundo onde as vivências requisitassem formas integrativas como a da perspectiva. Nem se pode mais pensar nisso.

Com esses exemplos, de arte cubista e de arte abstrata "informal", procuramos mostrar que também numa época extremamente individualista como a nossa, em que na articulação da mensagem a expressão pessoal parece ter prioridade sobre o sentido de comunicação, os conteúdos significativos se reportam a projeções do nosso ser social. Na obra de arte, qualquer que seja o estilo e a época, transparece uma tomada de consciência ante a realidade vivida, ainda que o indivíduo formule sua experiência em termos subjetivos. De maneira semelhante – pois sempre são formas com que nos defrontamos e formas por que respondemos – em toda comunicação e em todo modo de comportamento, nas atividades profissionais ou no convívio diário, configura-se uma atitude fundamental ante o viver, uma visão de vida, e o indivíduo a transmite, consciente ou inconscientemente, no momento mesmo em que age. Na medida em que as visões de vida não se limitam à experiência do indivíduo, nem tampouco poderiam ser inventadas individualmente, tudo o que o homem formula e faz, ele o faz mediante formas que são qualificações a um tempo individuais e sociais.

Pode-se dizer, de modo geral, que dos valores existentes em um contexto cultural não só decorrem certas possibilidades de indagação como também desses valores decorre a forma das perguntas. Consequentemente, a resposta que o indivíduo dará, apoia-se nas mesmas possibilidades. Ao aprofundar certos conteúdos valorativos ou ao afirmar certas necessidades de vida que são negadas dentro do contexto cultural, as soluções criativas que o homem encontra, concretizam sempre uma extensão do real. Ainda que formulem caminhos utópicos, partem do real.

Todos nós temos visões de um futuro para os nossos filhos. Entretanto, assim como o homem medieval jamais poderia ter imaginado o mundo espiritual do Renascimento nem o homem renascentista o nosso mundo, nós também só podemos imaginar significados futuros a partir das condições presentes. Mesmo que os significados reflitam anseios para uma nova humanidade, nova mentalidade de convívio do homem, em novas formas de realização e com valores novos, só podemos colocá-los em nossos termos.

VI. Crescimento e maturidade

Nas crianças, a criatividade se manifesta em todo seu fazer solto, difuso, espontâneo, imaginativo, no brincar, no sonhar, no associar, no simbolizar, no fingir da realidade e que no fundo não é senão o real. Criar é viver, para a criança.

Nessas experiências infantis, a sensibilidade e o raciocínio ainda se processam de uma mesma maneira de ser e partindo de um só impulso a fim de apreender, compreender e controlar as situações e explorar-lhes novas possibilidades. Estas se reestruturam em situações novas, e novamente a criança parte para a aventura.

A criança age impulsivamente, espontaneamente para ver o que acontece. Embora, sem dúvida, haja sempre curiosidade acerca das consequências da ação, nem as consequências nem as próprias intenções são medidas ou avaliadas anteriormente à ação. A produtividade infantil é rica, em quantidade e descobertas. A nós adultos espanta muitas vezes pela "ousadia", por sua liberdade de ação. Mas, na verdade, aquilo que, pela opção e pelas consequências previsíveis, significa uma experiência audaciosa para nós, para a criança é apenas o vivenciar natural da situação, não é mais ousada do que muitas outras experiências que a nós passam despercebidas.

Quando mudam os comportamentos da criança e mudam as formas de expressão, essa mudança formal não se deve a intenções estéticas. Deve-se ao processo de crescimento e de desenvolvimento da criança, às suas relações afetivas com ela mesma e com o mundo adulto, e à sua evolução para níveis de independência interior. Às idades subsequentes, digamos aos 2, 4, 7, 10 anos de vida, normalmente correspondem modificações na forma expressiva. Vale observar, porém, que até uma idade próxima à puberdade, as alterações na linguagem artística – tanto nos elementos usados como na maneira de composição – que ocorrem nas várias fases do crescimento infantil, são surpreendentemente similares[1] em

1. Comparem-se os trabalhos infantis em exposições internacionais. São bastante uniformes as pinturas de uma mesma faixa etária, embora procedentes de países diversos e de diversa estrutura social, países ocidentais, orientais, industrializados, agrícolas, altamente desenvolvidos, subdesenvolvidos.
O que muda, naturalmente, são os objetos significativos que compõem o ambiente vivencial da criança, e a caracterização, ou seja, a função e a importância cultural em que a criança vem a conhecer esses objetos.

todas as crianças, não obstante diferenças individuais de temperamento e de sensibilidade. As alterações estilísticas pouco variam até de cultura para cultura. Poder-se-ia chamar a esse desenvolvimento quase que de estilo "biológico".

A bem pensar, não cabe empregar o termo *estilo* em relação a trabalhos infantis, pelas conotações culturais que o termo encerra. Se, suponhamos, tivesse sido possível guardarem-se pinturas de crianças de 3 ou 4 anos de idade, da Grécia clássica ou da Idade Média (sempre pressupondo, também, que a pintura das crianças fosse valorizada pelos adultos da época), a forma estilística dessas pinturas não se caracterizaria como "grego clássico infantil" ou "medieval infantil", mas simplesmente como sendo infantil.

O estilo diz respeito à expressão adulta e é essencialmente um fator de ordem cultural. Ocorrendo em determinadas situações históricas, as mudanças estilísticas correspondem a mudanças de valores culturais que afetam a concepção de vida dos homens, reformulando sua mentalidade, seus costumes e os modos de comunicação. Há uns 20 mil anos pelo menos, em nada a constituição humana se alterou fisiológica e biologicamente, nem mesmo as potencialidades humanas. É essa a data presumível dos mais antigos desenhos pré-históricos (expressão adulta para adultos). Mas desde então, quantas mudanças estilísticas já não ocorreram, quantas mudanças de culturas e de valores.

A criança, antes de tudo, tem que crescer. O que muda para ela aos 2, 3, 4 anos e assim por diante, são áreas de experiência e de controle sobre seu mundo infantil. Na expressão visual surgem inicialmente experiências sensório-motoras, pontos, traços, círculos, espirais, onde a criança procura estabelecer para si mesma o domínio sobre certos movimentos físicos junto com uma medida de domínio sobre o meio ambiente. Procura controlar a mão, o lápis ou a caneta que porventura segure[2], o papel, o chão, a parede, interligando sua ação com os mais diversos movimentos físicos de seu corpo e, muitas vezes ainda, cantando, exclamando, dialogando com o desenho para completar o sentido da ação. É interessante observar que só depois de dominar formas circulares, a criança se aventura para formas pontudas; talvez porque o movimento circular representa um movimento de expansão mais natural, ou talvez por sentir no ângulo uma

---

2. Há, a partir do primeiro momento de vida de alguém, um processo de aculturamento, uma orientação cultural por parte dos adultos. Se jamais a criança viu uma caneta, não vai saber como segurá-la e obviamente não vai usá-la para fazer desenhos. Todavia, as formas que a criança desenhará – nessa idade e em circunstâncias normais – com qualquer pedra ou pedaço de pau, serão idênticas às de outras crianças que usam a caneta.

forma mais agressiva e uma situação de conflito, já que na ponta do ângulo se dá a confluência de duas dimensões espaciais nitidamente opostas, de altura e largura. Não há dúvida que poder dominar essas formas representa uma conquista para a criança.

A criança passa em seguida para a figuração simbólica, ou seja, ela começa a simbolizar objetos e situações que ela própria identifica. Evidentemente, as formas anteriores motoras também devem ser vistas como formas simbólicas, de movimentos e de controle ambiental. Na figuração simbólica se inicia simultaneamente o pensamento abstrato da criança e uma certa atividade conceituai. As figuras, de objetos e de seres humanos, são representadas em suas qualidades estruturais globais: cabeça circular, corpo cilíndrico, braços, pernas, dedos retilíneos, tampo de mesa redondo ou quadrado e pés retos perpendiculares ao tampo (sem superposições no espaço que encobrissem detalhes, o que, nessa idade, a criança sente como uma mutilação dos objetos); os vários tamanhos, grandes, pequenos, os acúmulos de detalhes ou os vazios, as cores intensas ou baixas, as linhas grossas ou finas, curtas ou longas, são estabelecidos de acordo com uma hierarquia emocional íntima. O critério é sempre o da situação interna afetiva.

Quando a criança se aproxima da puberdade, suas formas expressivas mudam novamente; o modo de representação se torna mais analítico, mais descritivo, entra numa linha mais "realista". Esse desenvolvimento é comum às várias sociedades e culturas. Aqui, observamos, deve-se entender por *realismo* a adoção dos padrões expressivos vigentes em determinado contexto cultural. A partir desse momento, isto é, sob a influência direta de normas culturais e participando dos valores do mundo adulto, vem a tratar-se, realmente, na formulação dos termos da linguagem, de uma questão de estilo.

As alterações que ocorrem na expressividade infantil correspondem, portanto, a fases de crescimento físico e psíquico da criança. À medida que a criança vem naturalmente a se discriminar, dentro de si e em relação aos outros, também reestrutura seu potencial sensível e racional em níveis mais complexos. A própria realidade terá mudado para a criança e, concomitantemente, o caráter da convivência com essa realidade, as solicitações, as possibilidades de controle e as formas de comunicação. Entende-se que a criatividade infantil pode ser estimulada. O modo como se visa à incentivação do potencial infantil, reflete-se nos objetivos e nos comportamentos desejáveis estabelecidos para a criança. Representa outras tantas formas de aculturamento. Seu exame nos colocaria novamente no âmbito dos valores do contexto cultural em que a proposta ocorre. Citamos um exemplo de nossos dias: as exposições de arte infantil com premiações. Qual seria o sentido e qual a finalidade?

Se até aqui nos detivemos em alguns aspectos da criatividade infantil pretendíamos em realidade iluminar certos ângulos da criatividade adulta. A criatividade infantil é uma semente que contém em si tudo o que o adulto vai realizar. Interessam-nos as comparações com o mundo infantil para podermos enfocar mais claramente o início dos processos criativos e também o seu desenvolvimento sob determinadas circunstâncias culturais, mas, enquanto fenômeno expressivo, a criação tem implicações diferentes para a criança e para o adulto. Nas crianças, o criar – que está em todo seu viver e agir – é uma tomada de contato com o mundo, em que a criança muda principalmente a si mesma. Ainda que ela afete o ambiente, ela não o faz intencionalmente; pois tudo o que a criança faz, o faz em função da necessidade de seu próprio crescimento, da busca de ela se realizar. O adulto criativo altera o mundo que o cerca, o mundo físico e psíquico; em suas atividades produtivas ele acrescenta sempre algo em termos de informação, e sobretudo em termos de formação. Nessa sua atuação consciente e intencional, ele pode até transformar os referenciais da cultura em que se baseiam as ordenações que faz e aos quais se reportam os significados de sua ação.

Formulamos aqui a ideia de que a criatividade se realiza em conjunto com a realização da personalidade de um ser: da maturação como processo essencial para a criação. Colocamos tanto *as premissas* como também *os critérios de criação* em uma possível *maturidade* do homem. Com sua maturidade o ser humano criará espontaneamente, exercerá a criatividade como função global e expressiva da vida, e como medida de sua gratificação.

O indivíduo, amadurecendo progressivamente, se diferencia dentro de si e, em níveis coerentes embora mais complexos, reorienta-se em seus componentes diferenciados. Alcança novas formas de equilíbrio interior. O processo de maturação envolve, pois, uma *unificação em maior diversificação*; envolve na busca de identidade a possível *individuação da personalidade*.

A propensão a diferenciar-se e a reordenar-se a fim de atingir níveis de maturidade é imanente aos próprios processos de vida. Como essencial ciclo de crescimento e de transformação, o amadurecimento é uma necessidade do ser[3]. Essa necessidade pode não tornar-se consciente[4], mas em

---

3. WHITE, Lancelot Law (ed.). *Aspects of Form*. Bloomington: Indiana University Press, 1951, p. 95.
Albert M. Dalcq, "Form and Modern Embryology": "característico para essas formas (celulares, significativas) é sua constante progressão até atingir um certo equilíbrio típico para os espécimes adultos de cada espécie" (parênteses nossos).
4. Se se quiser forçar uma criança a andar aos seis meses, ela não terá nenhuma condição de andar; porém, quando em torno de um ano de idade a criança está pronta

nossa vida psíquica, subjetiva, ela está sempre presente. Crescer, realizar potencialidades, definir-nos em nós, conhecer-nos melhor, identificar-nos coerentemente, são anseios tão absolutos, tão claros e evidentes em si, que dispensam qualquer explicitação. E ninguém se admira das consequências trágicas da não realização do homem dentro do que lhe seria possível: o vazio da vida, a apatia, a falta de respeito pelos outros (já que tampouco foi respeitado seu próprio potencial) e, quando não pior, um revide violento e brutal contra si mesmo ou contra os outros.

Excluindo-se, logicamente, o período da infância e da adolescência, a maturidade não se fixa em determinadas idades biológicas. Permanecerá um dado pessoal, até constitucional, de condições psíquicas para assumir sua independência interior e para poder equilibrar-se ante os conflitos e as tensões da vida, como também, sem dúvida, será um dado do complexo cultural, quando e o quanto este solicite do indivíduo adulto em termos de participação e de responsabilidade social.

Mais do que tempo externo, a maturidade exige um tempo interno. O tempo necessário, relativo em cada caso, para que certas potencialidades, talentos, capacidades, interesses, possam elaborar-se intelectual e emocionalmente – para que se elaborem num desdobramento total do indivíduo e de um modo tão intimamente ligado ao seu ser, que o indivíduo faça da própria elaboração e do desdobramento uma experiência vital que integre, ampliando-a, a visão que nele se forma do mundo e da vida. Não há tempo cronológico para esse desenvolvimento. Pode dar-se rapidamente e também pode ser lento. O importante, sempre, é que se dê o processo.

O fato de descobertas importantes se terem verificado com certa frequência, em nosso século principalmente, numa faixa de idade bem jovem, antes dos 25 anos – o caso de Einstein seria um exemplo – permite várias interpretações. É possível tratar-se de áreas de pesquisa com solicitações muito específicas, talvez sendo o fenômeno ligado a elaborações predominantemente conceituais (no campo da matemática, física, lógica). Ou poderia significar um limiar excepcionalmente baixo, de maturidade moça. Afinal, outros cientistas, da estatura de Planck, não começaram tão cedo.

Mas, se a maturidade não tem um início marcado, também não precisa necessariamente ter um fim definido. Em condições normais, o crescimento espiritual e de vida interior não está sujeito a limites de

---

para dar os primeiros passos, não há quem a detenha nisso. A criança quer e precisa realizar esse potencial.

expansão. A partir de certa complexidade o processo de crescimento se restaura por si e, enriquecendo sempre, amplia-se pelo tempo de vida[5]. Os maiores criadores, artistas e cientistas, um Tiziano, um Rembrandt, um Goya, um Goethe, um Shakespeare, um Galileu, um Newton, um Descartes, um Pasteur, o próprio Einstein, foram capazes de crescer e de renovar-se até o fim de seus dias, indagando em ordenações sempre mais amplas os segredos da existência. Em função dessa amplitude que se abria continuamente diante deles, formulavam suas perguntas. Ainda hoje as respostas ecoam das profundezas em que foram encontradas.

Entretanto, acima de quaisquer outras considerações, o que importa é o processo criador visto como um processo de crescimento contínuo no homem, e não unicamente como fenômeno que caracteriza os vultos extraordinários da humanidade. Procuramos entender as potencialidades de um modo mais amplo e mais profundo, no sentido global. Poderia, no caso, tratar-se de um grande artista ou cientista, mas não seria apenas a produtividade profissional que consideraríamos, seria antes seu potencial criador como dimensão humana a enriquecer tudo e todos ao seu redor[6]. O poder criador do homem é sua faculdade ordenadora e configuradora, a capacidade de abordar em cada momento vivido a unicidade da experiência e de interligá-la a outros momentos, transcendendo o momento particular e ampliando o ato da experiência para um ato de compreensão. Nos significados que o homem encontra – criando e sempre formando – estrutura-se sua consciência diante do viver.

Ao indivíduo criativo torna-se possível dar forma aos fenômenos, porque ele parte de uma coerência interior que absorve os múltiplos aspectos da realidade externa e interna, os contém e os "compreende" coerentemente, e os ordena em novas realidades significativas para o indivíduo. Como ser coerente, ele estará mais aberto ao novo porque mais seguro dentro de si. Sua flexibilidade de questionamento, ou melhor, a ausência de rigidez defensiva ante o mundo, permite-lhe configurar espontaneamente tudo o que toca.

Na visão do potencial criador do homem como um potencial estruturador, *propomos desvincular a noção da criatividade da busca de genia-*

5. Existem, evidentemente, acidentes, lesões, doenças e fatores de envelhecimento biológico, de senilidade, mas estamos nos referindo ao ciclo útil de vida de uma pessoa, à sua lucidez.

6. Dizer, como não raro se ouve, que o pensamento seria um, o pensador outro, o ser criativo um, o real ser humano outro, é fazer uma ideia mecanicista da criação, como se se tratasse apenas de uma habilidade, de alguma atividade separadamente concebida e executada, e não envolvesse o ser humano todo.

lidade, de originalidade e mesmo de invenção (por invenção entendemos o invento de uma novidade).

Os atributos de genial, original e inovador como qualidades que caracterizam a criação, nos foram legados pelo Renascimento. Adquiriram esse sentido valorativo quando, na época, a individualidade procurava sobrepor-se, socialmente, por seus próprios méritos à rígida estratificação medieval, onde a ascendência de classe ou de profissão determinava a posição social da pessoa. Há de se ver o quanto essa situação se modificou em nosso tempo. Ao passo que no Renascimento se avaliavam as qualidades extraordinárias de um trabalho realizado, sempre no domínio de uma técnica plenamente adequada ao que se almejava obter e à altura dos ideais da sociedade, hoje essas noções servem de programação de currículo: "seja criativo", "seja genial", "seja original". Propõe-se a genialidade como uma maneira de ser, como se o ser criativo fosse manipulável e redutível a comportamentos volitivos, e não fosse o próprio viver. O fato é que o excepcional é valorizado indiscriminadamente sob as mais diversas formas sociais (ou associais). Ao mesmo tempo, a excepcionalidade é usada como um parâmetro para aferir o desempenho criativo dos indivíduos. Num quadro cultural como o nosso, de condicionamentos massificantes, só é criativo quem consegue ser "genial" – não alguém que fosse espontâneo, autêntico, imaginativo, sensível; tampouco se concebe que o potencial criador do homem possa desdobrar-se no trabalho ou em função da maturidade alcançada, na visão generosa da convivência humana, pois a própria criatividade é considerada como algo inteiramente à margem do fazer natural.

A genialidade como proposta é um parâmetro esmagador para qualquer processo normal de desenvolvimento e de maturação. É ainda um parâmetro cujo valor é arbitrário quando não artificial. Quem seria o gênio e qual seria o tipo de genialidade que serviria de referência para as atividades criativas do homem? Tarzan? Super-homem? Ou então, numa colocação mais nobre mas nem por isso menos injusta: ou alguém se torna um Einstein ou é reduzido a zero? Presenciamos em todos os setores da atividade humana a instituição de padrões de excelência irreais em relação ao ensino e à educação existente, inatingíveis e incompreensíveis pela grande maioria[7]. Ao mesmo tempo se desconsidera a criatividade genuína, a possibilidade de cada pessoa tentar encontrar nos variados momentos do seu fazer a sua própria medida de capacidades dentro de

7. Em contrapartida, o nível dos chamados *mass-media*, os meios de comunicação de massa, televisão, rádio, cinema, revistas, geralmente não fica longe da debilidade mental. "A massa assim o exige", dizem-nos.

sua sensibilidade própria, e de ser valorizada no que ela realmente é e naquilo que pode ser. Até parece ser um pensamento estranho e inadmissível que, afinal, é o fazer humano, o fazer intencional, inteligente e sensível do homem que está na base de sua criação.

É verdade, porém, que para poder exercer o seu potencial criador, agir criativamente em sua vida, seria preciso aos homens integrar-se enquanto pessoas, desenvolver-se e alcançar algum nível de maturidade e de individuação. Seria preciso aos homens encontrar condições de vida e de trabalho que proporcionassem os meios de realização de suas potencialidades, onde o seu fazer representasse uma fonte de conscientização interior a partir da qual eles se renovariam espiritualmente. Mas, as injunções a que a maioria tem que se submeter a fim de sobreviver nessa sociedade fragmentada e complexa, impedem que sua formação se amplie em qualquer sentido humanista. Quando muito, as pessoas se tornam profissionais, com horários e com expedientes, mas sem tempos para viver.

Podem evidentemente existir indivíduos excepcionais que, sobrepondo-se de um modo ou outro ao esvaziamento e à atomização da vida, alcançam uma medida integrativa apesar de tudo. Mas, com efeito, constituem exceções. E, se porventura conseguem superar os obstáculos, isso será devido a circunstâncias aleatórias, de caráter estritamente pessoal. E é quase um milagre. Além disso, quando se considera o quanto certos gênios sofreram para se realizar (aliás, em outras épocas também), decerto não será possível deduzir-se ter sido o sofrimento que os fez realizar-se, ou que, impondo-se privações análogas a uma pessoa, ela vá necessariamente tornar-se criativa. Tal dedução, de exigências excessivas, de privações como estímulo para a criatividade, é inteiramente espúria; representa uma atitude romântica "à la Bohème", só que bem menos ingênua, alienante mesmo, quando esse tipo de sofrimento vem a ser racionalizado como inerente, e assim indispensável, à realização do potencial criador.

Da mesma forma como hoje em dia se condiciona o ato de criar ao conceito de excepcionalidade, de genialidade, assim também a criação está sendo condicionada ao conceito da inovação e ao invento da novidade. A inovação é até identificada com a própria criação. Mas, se é da natureza do ato criador inovar, a recíproca não é verdadeira; a inovação nem sempre é criação. Criar significa mais do que inventar, mais do que produzir algum fenômeno novo. Criar significa dar forma a um conhecimento novo que é ao mesmo tempo integrado em um contexto global. Nunca se trata de um fenômeno separado ou separável; é sempre questão de estruturas. Através da forma criada se intensifica um aspecto da realidade nova e com isso se reformula a realidade toda. Por essa razão, o processo de criar significa um processo vivencial que abrange uma ampliação da consciência; tanto enriquece espiritualmente o indivíduo que cria, como também o indivíduo que recebe a criação e a recria para si. No ato criador, ambos se renovam de alguma maneira essencial para sua humanidade. Mas o invento, ou seja, uma inovação não precisa abranger a renovação. Por exemplo, a escova de dentes elétrica, a goma de mascar, o Concorde, e outras novidades similares. É difícil dizer, até, a que tipo de necessidade respondem, se são necessidades reais do homem ou se são necessidades artificialmente introduzidas.

Inventar e criar não são iguais. Não se trata de tentar demarcar fronteiras para a experiência humana, o que seria impossível – e, sem dúvida, colocaríamos a pesquisa de, digamos, um Louis Pasteur ou um Thomas Edison entre as criações e não as invenções, por abrangerem conhecimentos novos que ao mesmo tempo constituem novas realidades de vida – mas é possível distinguir entre a criação e a inovação. Pode-se dizer, sem exagero, que a prática de inúmeras inovações se processa em níveis menos profundos do que a da criação, isto é, a mera inovação não engaja a totalidade sensível e inteligível do indivíduo a ponto de sempre o reformular em sua conscientização de si mesmo. Este é um traço essencial que distingue os processos criativos.

Outro traço distintivo entre a criação e a invenção é que o invento não traz necessariamente as sementes da etapa seguinte. No invento surge algo de novo; contudo, entre o fato novo e os anteriores não precisa haver necessariamente uma conexão orgânica. Na criação essa conexão está sempre presente. Nela, as várias etapas participam de um processo contínuo de transformação que se diferencia ao mesmo tempo que se autorrevitaliza e cujo caráter global se evidencia em termos de uma "lógica interior", uma essencial coerência estilística entre as várias etapas. A coerência estilística funciona como se fosse uma espécie de substrato comum às configurações diferentes, diversificadas a partir das circunstâncias espaciais e temporais em que surgiram. Ela serve de referência para que se possa avaliar *em que sentido* o novo se apresenta diferente. Em outras palavras, a coerência interior do processo aponta o sentido significativo da diversificação. Nesse particular, o invento como inovação ou novidade pode concretizar-se em formas mais independentes e aparentemente até "mais originais" do que as formas da criação, mais arbitrariamente livres porque desvinculadas da presença de delimitações interiores e de valorações íntimas.

Inventa-se por uma série de razões. Trata-se sempre, sem dúvida, de fatores de ordem imaginativa; são, porém, fatores largamente reivindicados pelo saber intelectual que é estimulado através de situações específicas (o exemplo clássico da guerra como geradora de inventos). Trata-se, portanto, muitas vezes de fatores que ocorrem independentes da realização da personalidade do indivíduo e pouco lhe acrescentam em termos de maturidade ou visão de vida[8].

Não deixa de ser significativo que em nossa sociedade se valorize justamente este aspecto da imaginação humana: o engenhoso, a inventividade intelectual que é relativamente desvinculada da emotividade e do envolvimento em nossa consciência. No presente contexto cultural, a descoberta da novidade passou a ser uma preocupação central, obsessiva até. É o novo, o inédito, o insólito que se procura, não a bem da humanidade e para satisfazer uma necessidade real, mas "o novo pelo novo", a substituição apenas pela substituição. Numa excitação febril e espasmódica, em parte induzida e em parte já consequência de um processo que gira em ponto morto, é a substituição que substitui – como se substituir em si fosse valor de vida – a pesquisa, o questionamento, o próprio trabalho. É o novo, novíssimo, indubitavelmente melhor porque indubitavelmente mais recente. Qualidades cronológicas logo corroídas pelo tempo.

Pelo que existe desse clima no campo das artes (não haveria como e por que a arte excluir-se), o panorama é deprimente. Tantas inovações, e sempre "vanguarda". Mas o que significam? O que afinal estabelecem? Arte do *Kitsch* (imagine-se poder ser levada a sério e ser discutida em termos de *estilo* artístico; o comércio está abarrotado dessas obras de arte, é só comprá-las, toalhinhas com florzinhas multicores de renda de Bruxelas em legítima matéria plástica); arte postal (envelopes endereçados e selados); arte de reminiscência (álbuns de fotografias de família); arte de terra, *land-art* (cavar buracos ou valas e às vezes tornar a enchê-los); arte de identificação (fotografias da pessoa de frente e de costas, eletrocardiograma, eletroencefalograma, radiografia de pulmão e aparelho digestivo, exame de urina e fezes); arte de mutilação (inspirada na orelha decepada de Van Gogh, uma vanguarda que conta com verdadeiros mártires, pessoas que morreram das automutilações e autocastrações que se inflingiram sem, contudo, descuidarem-se da devida promoção publicitária do evento, fotografando e documentando cada talho e cada atadura de seu martírio); uma chamada *sicky art* (não *sick*, doente, mas *sicky*, doentinha, arte de vômitos); e, esta decerto não poderia faltar, a arte pornográfica com demonstrações *in natura* (sem talvez desconfia-

8. Por essa razão, certas descobertas tecnológicas em pouco vêm a mobilizar nossa íntima capacidade de experimentar a vida. Permanecem uma coisa externa operacional que não toca naquilo que diz respeito ao homem em face da vida. Sem dúvida, a ida do homem à lua constituiu um feito imponente e que no momento fascinou toda a humanidade. Resta ver, porém, se com isso nos proporcionou o instrumental para uma visão mais profunda dos problemas humanos, ou, ainda, reformulou-se substancialmente a existência na terra.

rem de sua missão nobre, no fundo, cada prostíbulo é um templo de arte). Estamos, realmente, vivendo em plenitudes artísticas. Completa-se o quadro com a presença de organizadores de mostras internacionais, diretores de museus, críticos de arte, todos com receio de perder a última das novidades e, prolixos, pontificando em língua-espuma, idioma internacionalmente corrente nesse setor. Que pobreza de imaginação, que vazio!

Na arte, a novidade em si não é qualificação para o que é criativo, não é suficiente enquanto o novo permanecer apenas um aspecto circunstancial externo que não reestrutura a linguagem. Posto de lado o fato de que a própria distinção novo-antigo é relativa, em cada obra persiste o que fora criativo. Ao configurar a experiência da realidade em um determinado momento histórico, a forma expressa os conteúdos vividos e define o momento expressivo. Como configuração do momento, ela é intransferível e é definitiva, não podendo ser superada por qualquer outra forma. O momento da vivência, esse sim, poderá ser seguido por outros momentos que, por sua vez, haverão de requerer novas formas. Mas a forma, não. Uma vez fisicamente configurada, ela existe em si, precisa, completa. Em sua estrutura se concretiza uma significação. Ela, forma plenamente inter-relacionada e ordenada em múltiplos níveis, seletiva na ênfase e nos meios de expressão, obra de arte, com o decorrer dos anos continua com suas qualificações intactas. Cada vez que a vemos e a revivemos, ela se renova em nós e nós nos renovamos nela. Ela não se esgota nem se repete na renovação, porque nós não nos repetimos em nossos momentos de vida. Não fosse assim, como ouvir, comovidos, alguma sonata pela décima vez? Por que olhar o mesmo quadro, já familiar, reler um livro, rever uma peça de teatro? Por que arte? A novidade passou ao primeiro encontro com ela.

Não são esses, ainda, os conceitos de genialidade e de inovação, os únicos que equivocadamente hoje se identificam com valores criativos quando já não os substituem. Formulou-se o mito da criação juvenil, uma verdadeira aura que se projeta em torno do fazer adolescente. Criativo é o que é jovem, e vice-versa.

É verdade que em nossa civilização essa atitude se revela desde o início ambígua e cheia de contradições. À juventude é dado o caráter de uma adolescência bastante prolongada, protegida pelo adulto e dele dependente, isentando o jovem de responsabilidades correspondentes ao seu desenvolvimento e à sua posição na sociedade e oferecendo-lhe uma licença, qual liberdade aparente, dentro de uma não maturidade artificial. Ao mesmo tempo, porém, que se ignoram as suas potencialidades e a sua real participação, exige-se dela, juventude, através de apelos e de pressões que a atingem no cerne de sua necessidade de afirmação, uma realização de vida, em termos de experiência e de sucesso de trabalho, humanamente impossível.

Ao jovem urge-se: "rápido, é agora, mostre-se, revele-se, seja criativo, depois será tarde". Entretanto, essa ênfase exagerada sobre capacidades e, especialmente, sobre o realizável pelo adolescente, é uma exigência injusta, inaceitável. Como poderia um jovem de 18 anos, por mais talentoso e inteligente que fosse, já se ter encontrado enquanto ser humano? Saber quem ele é, e o que quer fazer porque interiormente ele o precisa fazer? Mal começou a viver como adulto. E aqueles que por acaso já tiverem 28 anos de idade? Sua vida já foi vivida? Nem se falando então do contrassenso de se valer da tecnologia moderna para prolongar a vida das pessoas, se de qualquer modo não se considera viver como um processo de criatividade contínua.

Assim, inventa-se uma criatividade que se condensa, prioritariamente, no ser jovem, transferindo-se para a faixa da adolescência o clímax da produtividade humana e o significado das concretizações de vida, com o maior descaso pelas potencialidades humanas mais amplas. Ressuscita-se novamente a *genialidade*, só que dessa vez vestida com roupas jovens, como parâmetro de atividades e resultados criativos. Dispensam-se os processos de crescimento e de amadurecimento, os processos de identificação da personalidade, e dispensam-se os tempos internos como de somenos, supérfluos e inúteis para a vida. Em nosso contexto cultural, a maturidade é negada como um valor. Com isso riscam-se os níveis de conscientização espiritual que o homem pode atingir, as verdadeiras dimensões humanas, pois o entusiasmo idealista do jovem é uma coisa, será outra coisa quando esse idealismo, na maturidade, converter-se em generosidade e amplitude de compreensão.

O que existe por debaixo do mito da genialidade jovem é uma atitude pré-fabricada de adulação, por parte de grupos diretamente vinculados ao mercado e que têm o jovem também como consumidor. Na verdade, em termos concretos de criação, pelo menos na arte, o mito de uma juventude inovadora, renovadora, não funciona. Todos os grandes artistas, os criadores, os artistas revolucionários da arte, todos eles eram convencionais em sua juventude, conservadores até. Evidente. Pois eles tinham que começar em algum ponto. E para começar, tinham que apoiar-se em algo. Tinham que partir de uma realidade existente, com seus valores estabelecidos e suas tradições, tinham que elaborá-las de uma maneira também ainda tradicional. Era essa a sua juventude: compreendia sua formação. Mesmo iniciando-se como artistas, ainda tinham que amadurecer como seres humanos, enfrentando as contingências da vida, os problemas, os sofrimentos, os êxitos e os fracassos, tantas alegrias e tristezas. São caminhos de crescimento que continuam pela vida afora. Adultos, continuam a crescer. É a partir de sua maturidade – que em alguns se dá mais cedo e em outros mais tarde – que eles vêm a se identificar como personalidades e a revelar-se humanamente não menos do que artisticamente. Ao lidar com as tradições vivas de sua época, ao revivê-las a nível pessoal e ao absorver as influências que lhes dizem respeito, conseguem reformular essas influências de tal modo que em sua obra a forma expressiva surge como algo de novo, totalmente novo, como se fora vista por uma primeira vez, estranhamente transformada em visão única e universal.

Um Rembrandt, de talento invulgar, aos 18 anos já se estabelecendo como mestre pintor independente, pinta à maneira de Pieter Lastman (professor de Rembrandt e assim entrando para a posteridade). Ainda aos 30 anos, ou já aos 30 anos, quando se tinha tornado um pintor original e excelente, ao lado de outros pintores originais e excelentes de sua época, da estatura de um Rubens, um Frans Hals, um Vermeer, ainda não era "Rembrandt". Ainda por processos íntimos misteriosos, ele haveria de crescer e chegar a ser esse homem singular que conseguiu afirmar o sentido da vida, de infortúnios pessoais em seu caso, num vislumbrar de possibilidades espirituais tão extensas que vêm a criar a essência de uma nova humanidade no homem. Sua solidão, Rembrandt conseguiu transformá-la em força interior, em compaixão e compreensão sempre mais ampla ao aceitar dentro de si a trágica dignidade do existir humano, esse existir-no-saber.

E quem haveria de negar a imanente, e permanente, a penetrante atualidade de sua mensagem?

Nem Goya, após ter concluído os famosos cartões para as tapeçarias reais, mais de sessenta belíssimas pinturas, e após se ter tornado retratista célebre e muito solicitado nas altas esferas sociais de Madrid, aos 40 anos de vida, compara-se com o Goya que, aos 50 anos, viria a empreender a série dos "Desastres da Guerra", ou com Goya aos 70 anos, da fase negra, ou ainda com o extraordinário Goya de 80 anos. Ele é extraordinário em sua visão esperançosa de uma humanidade livre e trabalhadora (uma visão como essa, depois de ele ter vivido as invasões da Espanha, guerra civil e o retorno da inquisição, e no fim de sua vida ele próprio ser obrigado a se exilar). É ainda extraordinário na sempre crescente liberdade, na concepção, no uso e na ampliação da linguagem artística. Não é por nada que, sucessivamente, as gerações de pintores, românticos, realistas, simbolistas, expressionistas, do século XIX, até um Picasso em nosso século, inspiram-se em Goya e por ele se deixam influenciar, tão profética foi sua linguagem, tão apaixonada e lúcida, e tão abrangentes seus conteúdos expressivos.

Ou mesmo artistas que muito jovens já revelam seu talento deveras brilhante, um Toulouse-Lautrec, um Picasso. Mas o que fazem aos 16 anos será "acadêmico", tanto em termos de contemporaneidade quanto, mais importante, em comparação com a sua obra posterior, vista, pois, com o referencial que eles próprios estabelecem. (Não seríamos nós a determinar gabaritos para eles.) Será diferente do que farão aos 26 anos, ou aos 36 anos, se até lá não tiverem morrido.

Finalmente, ainda, nem Mozart foge a essa evolução muito natural, embora a essência de sua vida parecesse comprimir-se em ritmos e tempos físicos por demais curtos. Com toda precocidade de seu gênio, com toda a sua empatia de ser e a sua capacidade de se dar, a experiência de vida de que dispunha aos 16 anos não continha, em qualquer profundidade comparável, a visão interior que na maturidade o distinguiria, a visão de uma intemporal beleza sensual – o ser como um simples e carinhoso ato de existir – aliada a questionamentos trágicos do destino. Nessa sua visão de maturidade, as possibilidades humanas de ser e de saber-se não se excluem; são complementares, sustentam-se e até se identificam. Mozart participa-nos um novo estado de consciência ante o viver, possibilidades novas de compreensão. Mas também para Mozart, este vem a ser um "novo" conteúdo de vida a partir de sua maturidade, com novas formas expressivas, nova liberdade artística e ampliação de sua criatividade. Uma obra como o *Don Giovanni* (composta aos 31 anos) mesmo para Mozart teria sido impossível em sua juventude. Também Mozart teve que conquistar o seu tempo interno. Também ele, cuja obra é um consolo e evoca em nós o silêncio mais límpido, também ele teve que crescer e alcançar a maturidade. Não há atalhos para a vida. E nem Mozart os encontrou.

O desenvolvimento da personalidade se dá dentro de um contexto social, a partir dos meios e dos propósitos da sociedade. A criatividade se exerce nessas possibilidades culturais e delas recolhe as formas concretas expressivas. Em nossa época, seria importante que o jovem participasse ativamente do clima de transformação e de abertura ao mundo. Seria importante que sua sensibilidade, seu talento, seu intelecto, seu entusiasmo, sua vitalidade se desenvolvessem em contato natural e íntimo com as conquistas próprias de nossos dias, as novas e excitantes possibilidades de vida. Seria importante que surgissem questionamentos em formas sempre mais abertas. Seria sumamente importante tudo isso, mas sem que a personalidade dos indivíduos fosse massacrada, já na juventude, com imposições de "originalidade", de "estilo original". São realizações que jamais nessa altura da vida uma pessoa poderia alcançar. O que acontece em geral é que muitos jovens adotam, talvez por sucessos imaginados, alguma determinada maneira em voga, e logo que não mais seja do momento, adotam outra maneira. Estilo certamente não é, e quanto à originalidade, a busca proposital acaba substituindo o espontâneo pelo premeditado; talvez seja uma originalidade um tanto bizarra, dificilmente será autêntica.

Na verdade, a maneira, qualquer maneira, *não é estilo*. Um estilo não se adquire; não se troca de estilo como se troca de camisa. O estilo individual de uma pessoa corresponde a seu modo de ser, de viver, de conviver e de produzir. Corresponde a seu modo de dar e de se dar. Nem que se quisesse, seria possível trocar de estilo. Estilo é estilo de vida. É a essência de uma pessoa, sua integração, sua própria coerência interior. Dentro de um estilo o indivíduo desenvolve sua personalidade, se estrutura e estrutura sua obra. Dentro de seu estilo, pois, o indivíduo cria. Transformando-se quantas vezes for necessário, poderá renovar as formas e renovar a si próprio sem jamais se violentar.

Não há dúvida, porém, que a situação para o jovem é difícil. Só com um esforço muito grande poderia ele distanciar-se, espiritual e emocionalmente, analisar o estado de pressões a que está sujeito, a total injustiça das exigências, as ansiedades e sobretudo a alienação que o envolve, e então chegar à conclusão de que nada disso lhe serve como ser humano. Que, ao contrário, ele precisa resguardar em si a liberdade do ritmo de crescer em seu tempo próprio *porque esse tempo pertence a ele e só a ele*. Afinal, suas potencialidades, ele nem as conhece ainda. E, por outro lado, é natural que queira afirmar-se e receber o reconhecimento do contexto cultural em que vive. Isso significa que o jovem procura integrar-se ao meio social. Mas é esse mesmo meio social que lhe faz as exigências irrealizáveis. É uma contradição total.

O conflito que daí surge será exacerbado pelo fato de que, hoje, todas as colocações sociais ocorrem num clima da mais intensa e agressiva competitividade. Em nossa cultura, o clima competitivo é institucionalizado em todos os setores – cada um *contra os outros* – sendo visto como premissa para a criação. Só cria quem for capaz de competir nesses termos. A competitividade agressiva é considerada um valor, valor de convívio e de produção, é racionalizada como sendo "normal", e mais do que isso, como sendo "natural"; ou seja, existiria esse tipo de competitividade não só para a espécie humana mas como condição fundamental para os processos de vida. Apoiada em tais argumentos "objetivos", que dão às valorações culturais um suposto fundo científico, a competitividade agressiva é proclamada como indispensável, como um incentivo sem o qual jamais se concretizaria qualquer tipo de produtividade nem, consequentemente, a criatividade do homem.

Cabe ver o caráter histórico de tal premissa. É em nosso contexto cultural, entre nós e agora, que a competitividade agressiva é colocada como valor. Não pretendemos, aqui, discutir o problema em nível de teorias científicas[9]. O que pomos em dúvida é a eficiência dessa atitude predominantemente hostil como um incentivo, como motivação interior para que se venha a criar. Em princípio, poder-se-ia fazer uma distinção entre o fenômeno da competição como autoafirmação e o da competitividade agressiva como atitude normativa de uma sociedade agressiva, mas não é esse o aspecto que queremos examinar. Reiteramos o nosso enfoque: *a criatividade é intimamente vinculada ao trabalho humano*, ou seja, os processos criativos surgem *dentro* dos processos de trabalho, nesse fazer intencional do homem que é sempre um fazer significativo. Duvidamos da necessidade de que as pessoas tenham que competir entre si, primeiro: para querer trabalhar, e segundo: para querer dai o melhor de si.

Veja-se novamente o comportamento de uma criança. O fato de que a criança receba uma incumbência – levar um copo para a cozinha – de que possa participar com sua atividade em algo de útil para os outros, será suficiente para ela o querer fazê-lo, para que se sinta estimulada e valorizada, radiante pela confiança dos outros e pela realização dentro de si. Por que razão essa criança teria que aprender a competir com outras crianças? Ela não vai ser mais criativa por isso[10]. Muito pelo contrário. Incentivando unilateralmente o espírito competitivo apela-se para outras tendências, não criativas e puramente egocêntricas, que até poderão inibir o desenvolvimento de um genuíno potencial criador existente.

Os processos criativos são processos construtivos globais. Envolvem a personalidade toda, o modo de a pessoa diferenciar-se dentro de si, de ordenar e relacionar-se em si e de relacionar-se com os outros. Criar é tanto estruturar quanto comunicar-se, é integrar significados e é trans-

---

9. Não está tão longe de nós o fato de certas teorias formuladas por Darwin, a respeito da seleção natural, terem sido projetadas no contexto social humano sob a forma do *darwinismo social*.
Com ou sem segundas-intenções, e mal interpretadas, as teorias foram transpostas no século passado para o conhecimento do fato sociocultural, tornando-se conhecidas como a "lei do mais forte". E essa "lei" foi usada não só como justificativa senão como axioma inquestionável para comportamentos dos mais desumanos.

10. Ainda a propósito de exposições de arte infantil: são os adultos com suas premiações e seus "incentivos", com seu exibicionismo, que deformam o sentido real do criar, *a alegria* que acompanha a realização de potencialidades dentro do indivíduo. Depois se coloca essa distorção num pedestal e se a denomina "lei natural".

miti-los. Ao criar, procuramos atingir uma realidade mais profunda do conhecimento das coisas. Ganhamos concomitantemente um sentimento de estruturação interior maior; sentimos que nos estamos desenvolvendo em algo de essencial para o nosso ser. Daí se torna tão importante, para o artista ou para qualquer pessoa sensível, saber do trabalho de outros, ter contato com seres criativos, não no sentido de uma rivalidade, mas no sentido de um crescimento interior que também em nós se realiza quando podemos acompanhar a realização de outro ser humano.

É preciso admitir, contudo, que os comportamentos solidários do homem, que fazem parte de sua bagagem essencialmente humana, tornam-se difíceis em nossa época. O que se incentiva não são tendências construtivas, participantes, imaginativas, generosas, e via de regra a avaliação que é feita das potencialidades humanas não inclui as suas riquezas humanas. Parecem não existir.

Paralelamente com a instituição social e o estímulo da competitividade agressiva, encontramos o medidor de resultados a serem aferidos: o preço. De novo, qual lei natural, proclama-se uma equação entre preço e valor.

Todavia, a equação preço = valor não funciona porque a própria equação – preço igual a valor – não existe. Preço não é igual a valor. Nada "é igual" a valor. Só o valor é valor. As genuínas realizações humanas são valores. A começar pelos processos de crescimento e de maturação espiritual, tudo o que o homem tem de especificamente humano dentro de si, a compreensão, a inteligência, a generosidade, a ternura, amor, o respeito, a dignidade, a coragem, a confiança, os relacionamentos afetivos de que o homem é capaz, os conhecimentos e os conteúdos espirituais, são valores. Sua criatividade e suas criações são valores. São valores de produtividade humana, valores de consciência. São intraduzíveis. Não têm preço.

Quase sempre em nossa sociedade o âmbito de valores é substituído pelo de preços. A realidade é dimensionada na circulação de mercadorias e fora desse dimensionamento pouco há que seja considerado "real". A experiência de vida para a qual não existe preço, acaba marginalizada. Convenha-se que nem a maturidade nem a autenticidade de uma pessoa serão compráveis ou vendáveis, e mesmo numa sociedade de consumo que com sua voracidade consegue consumir praticamente tudo, inclusive a contestação[11], não há como reduzir a experiência de vida em nível de mercadoria e afixar-lhe uma etiqueta com preço. Refratária, pois, à men-

---

11. Um exemplo: o festival de Woodstock, um festival de música pop e folclórica, que se realizou durante três dias no verão de 1969. Participaram cerca de 400 mil

talidade consumista, a experiência de vida deixa de ser considerada um valor de vida, valor social. A verdade é que das realizações humanas, em termos de humanização, não há uma única sequer que ainda conste como um ideal autêntico entre as aspirações da sociedade de consumo. Essas realizações humanas não trazem lucros. Que se trate do ser mais sábio, mais compreensivo e generoso, de maior riqueza espiritual, um Rembrandt, um Mozart; a menos que sua produção possa ser convertida imediatamente em algum tipo de mercadoria, eles são dispensáveis.

Incapaz de cristalizar as próprias conquistas tecnológicas, os acréscimos de conhecimentos e as imensas riquezas extraídas da natureza, em valores que fossem vinculados a necessidades genuínas do homem a partir de uma visão de vida mais humana e mais digna, nossa sociedade rebaixa o processo de crescimento espiritual do homem, processo natural e indispensável, em nível de meras acrobacias sensacionalistas que desnaturam as tendências criativas do homem. Através de condicionamentos corrosivos, e com o maior descaso, destrói-se o que os homens trazem em si de essência humana. Nesse esvaziamento existencial, a ausência de critérios é legitimada como grande virtude. Quanto a valores humanos? São superados. Furta-se a julgamentos de valor, os quais, sempre subjetivos, diz-se, só poderão pertencer a gerações futuras. As responsabilidades, evidentemente, também ficam com o futuro. E nem se fala das consequências.

Em tal clima anti-humanista – antivida – não haveria por que se surpreender com a atual e profunda crise de criatividade.

A nosso ver, o verdadeiro e natural caminho para que o homem realize seu potencial criador (excluindo aqui os problemas que grande parte da humanidade enfrenta na luta pela sobrevivência), reside no pro-

---

jovens que, mediante entrada paga, acamparam numa grande fazenda alugada para esse fim (chegando uma semana antes e partindo quase uma semana depois).
Devido a uma série de fatores que no momento se conjugaram, entre outros, um ambiente de protesto contra a guerra no Vietnam, comportamentos *hippy* e atitudes consideradas antissociais, drogas consumidas abertamente, o festival adquiriu um caráter de rebeldia espontânea e até de contestação. Apenas, a atitude básica era bastante dividida e se prestava facilmente a manipulações. Compareceram os ídolos da geração, cantores famosos com todo um séquito de empresários e secretários, contratados por somas vultosas e precedidos de toda uma campanha publicitária, e apesar de se contestarem os valores da sociedade de consumo, floresceu o "consumismo" da marginalidade e da própria contestação.
Os organizadores do festival auferiram lucros consideráveis já com a arrecadação das entradas, além de lançarem álbuns de discos (só nisso ganhando cerca de 20 milhões de dólares), fotografias, *posters*, e também um filme documentário. Para eles, *a contestação veio a ser um excelente negócio.*

cesso elementar de *cada um poder crescer em seu tempo vital* e poder amadurecer, de poder integrar-se como *ser individual* e como *ser cultural*. Como processo natural de vida e processo individual do ser, esse crescimento e desenvolvimento constituem um processo de conscientização para o indivíduo. Em cada fase sucessiva, as possibilidades de identificações afetivas tornam-se mais amplas e se conjugam com uma capacidade maior de relacionar dados intelectuais para alcançar uma nova forma de compreensão. São conhecimentos intuitivos da realidade, conhecimentos a um tempo intelectuais e emocionais, que aprofundam o sentimento de vida do indivíduo e com isso mobilizam suas potencialidades criativas. Coincidindo o processo de desdobramento da personalidade com o processo de aculturamento, o desenvolvimento corresponderia às necessidades naturais do homem de completar o ciclo de maturação e às suas necessidades como ser social de, junto à identidade pessoal, adquirir uma identidade cultural[12]. O indivíduo ampliaria a sua sensibilidade, todo o seu ser, a partir de valores íntimos e valores que ele compartilha com outros membros do contexto cultural, numa visão de vida global em que o sentido da existência individual fosse vinculado ao sentido da coletividade. No ser, no simples ser – no viver e trabalhar e realizar conteúdos de vida – encontraria-se verdadeiramente a fonte da criação, fonte de infinitas e ainda nem sondadas possibilidades humanas no homem.

Quaisquer que sejam os progressos materiais de nossa época, a nossa realidade humana não é essa. As vias de integração da personalidade, de maturação do indivíduo e de identificação com o contexto cultural, são enormemente dificultadas ao ser sensível, hoje. Logo de saída, ele enfrenta uma situação de conflito. Ainda que o problema não precise colocar-se em termos absolutos, de sim ou não, preto ou branco, ainda que incontáveis nuances sutis intervenham e se justaponham, a essência do conflito se preserva inalterada. Para resguardar sua capacidade de desenvolvimento interior e alguma medida de integridade, para poder criar de modo espontâneo e autêntico, o indivíduo será forçado a recusar as essenciais valorizações de vida que o contexto cultural lhe propõe. Aceitá-las, significa abdicar de si mesmo. Por outro lado, negá-las é abdicar também. Ou, pelo menos, é arriscar as afirmações, os sucessos

---

12. O que os gregos, por exemplo, em seu contexto cultural aspiravam: o ideal da *polis*. Para eles, a existência humana individual era inconcebível a não ser em termos de uma integração social – o indivíduo realizando-se como membro da *polis*. (Convém observar, a propósito deste exemplo, que da situação histórica depende a forma concreta em que se realiza o ideal, embora o ideal derive dessa mesma situação. Assim, na sociedade grega do século V a.C., escravocrata na época, o "ser político" como forma de integração humana era reservado aos cidadãos livres.)

e, possivelmente, as vantagens materiais com que o estabelecimento social lhe acena.

Se neste capítulo se faz ouvir um tom de voz mais veemente, não há por que negá-lo. Trata-se de situações de vida que nos atingem profundamente. Iluminadas, elas projetam grandes sombras. O enfoque, tampouco o negamos, compõe-se de valorações nossas, talvez utópicas, que são de um contexto social não desagregador para o indivíduo, um contexto convivencial. A ideia é o homem como um ser criativo, visto com suas potencialidades. A visão de uma humanidade adulta e amadurecida, imensamente rica em sua capacidade de vivenciar a vida nas atividades produtivas e no próprio prazer de viver, não de forma meramente hedonística, mas numa forma de plenitude de realização humana e de compreensão.

VII. Espontaneidade, liberdade

A criação nunca é apenas uma questão individual, mas não deixa de ser questão do indivíduo. O contexto cultural representa o campo dentro do qual se dá o trabalho humano, abrangendo os recursos materiais, os conhecimentos, as propostas possíveis e ainda as valorações. São a um tempo os dados do trabalho e os referenciais dos dados. Com eles se defronta a criatividade de um homem. Existirá nele, desde o início, uma orientação específica do ser, uma predisposição, uma maneira sua, constitucional talvez, de inter-agir com o mundo. Não se pode perder de vista que cada pessoa constitui um ser individual, ser in-divisível em sua personalidade e na combinação única de suas potencialidades. Pensar na maioria dos homens somente como "massa" (palavra derivada do grego *máza*, amassar pão), como algo desprovido de espinha dorsal, algo passivo a ser moldado por pressões e condicionamentos "massificantes", não condiz com o ideal humanista, de respeito por potencialidades especificamente humanas.

A individualidade de cada um, vista como valor, é parte do acervo humanista. Ressalvamos sua importância, a fim de poder abordar a questão das influências a que estará exposto o indivíduo criativo em qualquer contexto cultural e em qualquer idade biológica.

As influências culturais existem sempre. Não há por que opô-las à espontaneidade criativa, como se o fato em si, e não o tipo de influências, impedisse o agir espontâneo. Tampouco cabe identificar a espontaneidade com uma originalidade imaculada por influências e vínculos, com um comportamento sem compromissos, uma espécie de partenogênese a dar-se em cada momento da vida.

Ser espontâneo nada tem a ver com ser independente de influências. Isso em si é impossível ao ser humano. *Ser espontâneo apenas significa ser coerente consigo mesmo*. Este é o problema. Não será impossível, mas fácil também não será. Porque, para ser espontâneo, para viver de modo autêntico e interiormente coerente, o indivíduo teria que ter podido integrar-se em sua personalidade, teria que ter alcançado alguma medida de realização de suas possibilidades específicas, uma medida de conscientização. Nessa medida ele será espontâneo diante das influências.

Se o homem não consegue fugir das influências por jamais omitir-se a valorações do contexto cultural, é preciso ver que ele as enfrenta *seletivamente*. Como indivíduo, ele já é um ser seletivo. Nos processos interiores em que ele se discrimina e adquire sua identidade, nos níveis de maturidade e de conscientização que ele alcança, seu crescimento reflete uma ordem íntima. Essa ordem preexiste aos valores culturais e às influências, ela é parte da constituição orgânica do indivíduo e molda a sua individualidade. Refletindo-se inclusive no modo como certas potencialidades presentes correspondem a certas vias de mobilização, essa ordem revela a extensão em que as influências afetam o indivíduo. Na verdade, cada um de nós absorve aquilo que de uma maneira ou outra, por uma razão ou outra, torne-se relevante para o nosso ser. Ou em outras palavras, cada um de nós absorve, normalmente, das influências apenas aquilo com que já tem afinidade.

Para nos envolver e orientar nossas potencialidades, as influências teriam que surgir em termos de um apelo afetivo. Afetivamente seriam reconhecidas por nós, identificadas em nossas aspirações íntimas como uma substância afim à nossa especificidade orgânica, aceita e não rejeitada. Mesmo em contextos ambientais rígidos, ainda pode no nível de valor pessoal existir alternativa. Naturalmente não se desconhece o quanto, nesses casos, a rigidez da formação básica deverá dificultar o desenvolvimento harmonioso da personalidade, a maturação e a coerência interior, e o quanto, com isso, compromete-se a espontaneidade dos indivíduos. Contudo, não faltam exemplos de homens admiráveis que eram criativos em circunstâncias difíceis de vida, que conseguiram enfrentar situações adversas de forma não somente a sobrepujá-las senão a aprender com elas.

Quando no indivíduo os processos de crescimento e de maturação se realizam de algum modo significativo, permitindo que ele se discrimine em si e individualize sua visão de vida, verifica-se uma definição maior e mais seletiva na sua atitude interior perante o mundo. O indivíduo atinge novos níveis de equilíbrio, ou seja, à crescente complexidade intelectual e emocional corresponde também uma ordenação superior. Nesses níveis, as influências podem ser elaboradas de uma maneira tão específica, porque tão individual, que, quando são vistas novamente – externadas no agir ou no pensar – as influências parecem transmutadas em sua forma. Foram absorvidas no contexto pessoal das vivências. Foram relacionadas novamente e reconstituídas a ponto de muitas vezes a sua origem tornar-se irreconhecível.

A essa melhor seletividade corresponderá maior espontaneidade.

Na espontaneidade seletiva se fundamentam os comportamentos criativos. Poder responder de maneira espontânea aos acontecimentos significa dispormos de uma real abertura, sem rigidez ou preconceitos, ante o futuro imprevisível. Espontâneos, tornamo-nos flexíveis. Conseguimos adaptar-nos às contingências, reorientar as nossas atividades e os nossos interesses de acordo com novas necessidades contidas nas circunstâncias novas.

Conseguimos integrar as circunstâncias novas e, por intermédio delas – pelo incentivo que representaram para a nossa capacidade imaginativa – empreender a busca de outras circunstâncias ainda desconhecidas. Nossa abertura o permite e nossa curiosidade ante o viver nos seduz com seu apelo.

Ao mesmo tempo que espontaneamente nos abrimos ao novo e o absorvemos, também espontaneamente o estruturamos. Os processos de descoberta são sempre processos seletivos de estruturação. Nossa abertura é complementada por delimitações interiores sem as quais nos desorientaríamos perante um mundo em contínuo desdobramento. Ao configurarmos o novo, o relacionamos a nós; organizamo-lo em função de nós, em função de nossas delimitações. Ainda que as delimitações sejam flexíveis, podendo estender-se junto às áreas novas da experiência, essas delimitações têm que estar presentes e funcionar em caráter de divisa, circunscrevendo e abrangendo os fenômenos, já para garantir ao menos sua percepção. Sem a capacidade de delimitar, lembramos, não seria possível ao ser humano compreender, ou imaginar, ou sequer perceber.

Não se deve interpretar, porém, o processo delimitador, processo estrutural, de modo mecanicista, como se com ele se estabelecessem fronteiras para a experiência humana. Ao qualificar a experiência – pois a configura – esse processo funciona como instrumental da apreensão dos fenômenos, e não, obviamente, como limitador dos fenômenos da realidade.

Frente à realidade concreta e em qualquer situação de vida, o indivíduo é delimitado por uma série de fatores (de ordem material, ambiental, social, cultural, e de ordem interna vivencial, afetiva) que se combinam em múltiplos níveis intelectuais e emocionais, em parte tornando-se conhecidos, conscientes e em parte permanecendo desconhecidos, inconscientes. Face à complexidade dos níveis e das qualificações mútuas, o equilíbrio interior é uma verdadeira conquista para o indivíduo, já porque a multitude de limites em tempos e espaços vários, ele a vive. E, no viver, ele próprio se transforma e altera os componentes de seu equilíbrio interior. Mas seja como for, são essas delimitações internas, relacionadas entre si e ordenadas em termos qualificadores, que nos fornecem uma medida de referência para avaliar a realização de nossas potencialidades. São elas que permitem nossa orientação seletiva. Dá-se um processo dialético: somos capazes de ampliar-nos coerentemente porque nos delimitamos coerentemente. Podemos responder à vida espontaneamente e em aberto porque a partir de nossa seletividade estruturamos a abertura à vida. Podemos estabelecer ordenações novas, dar forma aos fenômenos, dar significados, pois ao criar sempre delimitamos.

Entende-se, portanto, que o espontâneo não há de identificar-se com o impensado. Identifica-se com o *coerente* e com o *intuitivo*, com tudo o que, ao elaborar-se em nós, concomitantemente se *estrutura* em nós.

Espontâneos porque coerentes, podemos até tolerar complexidades muito grandes nos fenômenos. Podemos aceitar fatores ambivalentes que talvez surjam em certos momentos, percebendo que, embora contrastantes, as intenções não precisam ser contraditórias e não precisam excluir-se; que podem complementar-se mutuamente e adquirir um novo sentido de unidade. Nessa ampliação dos limites nós nos sentiremos enriquecidos pela convicção interior de termos crescido em nossa compreensão. Também nossa espontaneidade terá crescido.

Ser espontâneo é, no sentido amplo que a palavra tem, *poder ser livre*. Se, pois, até aqui formulamos que a espontaneidade corresponde à possível coerência na pessoa, queremos agora estender a ideia da espontaneidade como abrangendo uma forma de autonomia interior e um grau mais alto de liberdade de ação ante possibilidades de viver e criar.

Colocamos, com isso, o problema da liberdade de criar. Pela repercussão íntima em cada um de nós, esse problema, além de complexo, representa um ponto crítico em nossos questionamentos.

Como é entendida hoje, a liberdade de criação se confunde com a liberdade de expressão pessoal, uma vez que a criação é identificada unicamente com a autoexpressão. Nesse enfoque a liberdade de criar é caracterizada pela opção descompromissada e individual de como criar e o que criar. O ato criador é visto apenas em suas qualificações subjetivas; apenas, também, como ato expressivo, pois os aspectos expressivos predominam sobre os aspectos comunicativos. A obra criada é vista como uma mensagem de vivências pessoais.

Colocada nesses termos – a criação como expressão – a questão da liberdade de criar representa uma problemática relativamente recente, não anterior ao século passado. Na arte, é uma questão que surge a partir do Romantismo. Há de se levar em consideração que no Renascimento e na época da Reforma, nos séculos XV e XVI, quando os pensadores e os cientistas reivindicaram para si novos direitos de pensamento e de pesquisa, reivindicavam uma liberdade de pensar orientada contra certas ideias. Identificando-se com o clima espiritual a cristalizar-se na época, a defesa de novas formas era a defesa dos valores culturais nascentes. Não se tratava de modo algum de manifestações ou opções do ser subjetivo apenas, do ser exclusivamente pessoal.

Até o século passado, a transformação estilística não abrangia o problema da criação como um problema de linguagem subjetiva. Quando emergiam novas formas de pensar e, concomitantemente, novas formas de expressão, esse desenvolvimento foi uma questão ou, antes, foi consequência do desenvolvimento de uma nova mentalidade. Foi consequência de valores novos se terem tornado possíveis dentro de um contexto cultural, de novos *compromissos* assumidos com uma nova visão de vida, compromissos estes comunicados através de novas formas criadas.

Vejamos uma exemplificação no caso da arte chamada de Al-Amarna. Trata-se de uma mudança estilística que se deu no Egito, há uns 3200 anos, quando surgiu uma forma de expressão nova e de surpreendente liberdade estilística para a época.

Devemos situar como referencial a sociedade do Egito antigo. Devido a várias circunstâncias, entre as quais uma localização geográfica relativamente segura e privilegiada com recursos naturais, a sociedade egípcia conseguiu manter-se unida apesar de períodos de invasão, levantes e mesmo divisões, durante o longo espaço de tempo de quase quatro milênios. Seu estilo artístico reflete essa continuidade. É verdade que, durante os séculos das primeiras dinastias (que remontam ao próprio Neolítico, época agro-pastoril das tribos), o estilo da arte egípcia é realista e até mesmo descritivo. Em grande parte deve-se isso à importância de tradições e práticas mágicas (cujo princípio básico operacional é a projeção de traços semelhantes) nos afazeres diários da vida e sobretudo na feitura de objetos que deviam garantir um pós-vida provido de todos os recursos materiais. A partir, porém, da IVª dinastia, isto é, cerca de 2600 a.C., a arte egípcia perde as feições realistas e se desenvolve para uma idealização onde vêm a predominar aspectos hierárquicos, representativos, cerimoniais, rituais. Ao invés de traços característicos individuais, encontramos o ideal de uma perene juventude, gestos e posições ritualizados na representação do majestoso, sublime, sobre-humano. A arte se torna monumental. Na imobilidade e na densidade de grandes volumes temos a visão do divino eterno. Esse estilo se altera pouquíssimo durante pelo menos mil anos. Do ponto de vista artístico, pode-se dizer do final dessa época que, com toda maestria e perfeição técnica, a arte egípcia estava se tornando de certo modo repetitiva e até mesmo estereotipada.

A mudança estilística a romper com as tradições, ou melhor, a renová-las, passou-se no fim da XVIIIª dinastia (século XIV a.C.). Se bem que existam muitos documentos da época (proclamações, orações, hinos gravados ou escritos nos baixo-relevos, nas esculturas, pinturas, nos vasos fúnebres e mesmo nos sarcófagos e nas faixas de mumificação), são antes de tudo de caráter ritual e cerimonial e, em termos de informação histórica, pouco precisos. Sabe-se o suficiente, porém, para excluir a ideia de uma mudança estrutural a ter ocorrido na sociedade. Quando, sob o impulso de uma revolução religiosa, deu-se a inovação estilística, as formas básicas sociais e econômicas do país permaneceram inalteradas. Mudaram os personagens-chave, os governadores, sacerdotes, altos dignitários civis e militares, arquitetos e artistas (devem ter sido homens de confiança do faraó, muitas vezes procedentes de classes sociais inferiores – de fato, textos biográficos nos túmulos da época frisam frequentemente as origens modestas das pessoas, lembrando que o faraó as elevara a honras e altas posições devido a seu talento e ao zelo que lhe mostravam), mas as instituições – como instituições sociais – dos grandes templos e suas riquezas, de exércitos, do sistema de impostos e tributos, da administração e fiscalização do trabalho, e da própria organização dos trabalhos da sociedade, permaneceram essencialmente inalteradas. Continuam inalteradas também após a morte do faraó, quando se desencadeou uma radical "contrarreforma" religiosa e se reinstituíram as antigas divindades e as tradicionais formas de culto e expressão[1]. Se, portanto, dificilmente os fatos históricos permitem que se atribua o surgimento dessas novas formas expressivas a uma reestruturação social, ainda é preciso levar em consideração que a arte egípcia fora sobretudo uma arte de corte; mesmo no episódio "revolucionário" não deixou de ser arte de corte.

Com toda estabilidade da sociedade egípcia, enquanto estrutura social, o momento era de uma certa fluidez e favorecia novas possibilidades culturais. O reinado do pai de Akhen-Aton, Amenófis III, tinha sido marcado por uma grande expansão do império, pela consolidação de conquistas territoriais; riquezas imensas tinham afluído como tributos, acompanhados por muitos estrangeiros, príncipes reféns, prisioneiros, escravos, e novas riquezas provinham de uma política de casamentos de aliança, com apreciáveis dotes e séquitos nobres. Estabeleceu-se um certo espírito cosmopolita que, talvez enfraquecendo as formas tradicionais ou dilatando-as, propiciou a introdução de novas formas de expressão. Visto em retrospectiva, encontramo-nos, historicamente, no fim de uma era dinástica, o chamado Reino Médio, uma vez que o reinado do faraó Akhen-Aton representa um período de limite quase que iniciando uma fase de dissolução. Em grande parte, isso se deveu à personalidade do próprio faraó, não guerreiro, não conquistador, indiferente à ampliação do seu império ou sequer à sua defesa, entregue inteiramente a preocupações filosóficas e místicas.

Embora sem dúvida a acompanhasse uma luta pelo poder, principalmente contra o clero dos templos de Amon[2], a revolução que ocorre

---

1. WILSON, John A. *Ägypten* – Propylaen Weltgeschichte, volume I, Berlim: Ullstein Verlag, 1961.
2. FRANKFORT, Henri; FRANKFORT, Mrs. Henri & JACOBSEN, Thorkild. *Before Philosophy*. Londres: Pelican Books, 1949, p. 123. John A. Wilson formula vários

é de caráter nitidamente religioso e tudo indica que ela teve sua origem na pessoa do então faraó Amenófis IV por convicções religiosas. Ele próprio deve ter sido uma personalidade extraordinária, poeta e filósofo de grande sensibilidade e de um temperamento intensamente místico. A reforma, ele a formulou nos termos mítico-poéticos de uma nova cosmogonia, que explica novamente a vida e a origem dela. Substituiu o politeísmo das muitas divindades (e das variadas formas sob as quais as divindades se apresentavam; por exemplo, Amon e Aton correspondiam ambos ao Sol) por uma espécie de monoteísmo, no predomínio de uma única divindade, com fortes tendências universalistas e panteístas. Reconheceu Aton como "Deus único, Princípio moderador de ordem e justiça, Causa do ser universal, da alegria e da bondade". Adotou o nome dinástico de Akhen-Aton (aquele que agrada a Aton)[3] e elegeu como efígie única da divindade o Disco Solar.

Para realizar e impor essa mudança, possuía o faraó um raio de ação excepcional. Investido de atributos e poderes divinos (desde a Va. dinastia, os faraós se tinham como filhos de Rê, Deus do Sol identificado em Horus), personificação da divindade e suprema lei do Estado, ele, absoluto, imprimiria sua vontade não só às instituições administrativas, todas diretamente subordinadas a seu poder, como também aos cultos religiosos e às organizações clericais. Além disso, como o maior mecenas e construtor, sendo ele o urbanista, entre outras cidades, da nova capital Aket-Aton (a atual Tell-El-Amarna) com seus suntuosos santuários, palácios, túmulos, o faraó interviria efetivamente em todas as formas de expressão intelectual e artística.

O que aqui para nós se reveste de interesse particular, do ponto de vista artístico e sobretudo do da criação, é o fato de a mudança estilística originar-se em uma visão nova para a época, em uma atitude espiritual

---

motivos para a revolução de Akhen-Aton. Além de razões religiosas, haveria também a tentativa de tirar o poder ditatorial dos sacerdotes, sobretudo do culto de Amon, cuja ajuda financeira os faraós anteriores tinham empreendido suas conquistas territoriais. Citamos: "Por essa época, aos templos egípcios pertencia cada quinto habitante do país e quase um terço das terras cultiváveis".

3. O nome era importantíssimo. A adoção do nome Aton deve ser entendida como equivalente a um programa "político".
O nome tinha poderes mágicos. Não só representava uma coisa, era a presença corpórea da coisa. Assim, o nome de uma divindade inscrito era a presença da própria divindade. Uma preocupação dos vários faraós – de Akhen-Aton também – foi a de retirar fisicamente, quebrar, erradicar o nome de divindades ou de oponentes, dos vários monumentos, templos, túmulos. Sem isso, a divindade continuaria no poder.

diferente. O faraó poderia perfeitamente ter substituído o culto de Amon por outro de sua preferência (já que existiam outras divindades que, embora divergentes nos atributos, eram de importância similar, eram compatíveis entre si e vinculadas à mesma visão teológica e cosmogônica do mundo, e por isso conjuntamente veneradas). Em si, a repercussão de tal ato não precisava ter ultrapassado o âmbito religioso. E ainda que o faraó viesse a escolher Aton e desprestigiar Amon, como o fez, e retirar de toda uma organização clerical os privilégios e os benefícios materiais que auferiam de seus templos; ainda que dedicasse ao recém-eleito Aton outros templos e instituísse outros rituais – tudo isso, o faraó poderia ter feito *dentro do estilo vigente tradicional*. Durante os quase 4.000 anos de civilização egípcia, nas muitas dinastias com suas usurpações, conquistas e reconquistas, deve ter sido a regra substituir-se divindades diversas, sobrepô-las ou fundi-las (frequentemente, as divindades eram de caráter local ou regional, por vezes até, na origem, a figura de reis divinizados) como símbolo do poder religioso acompanhando a luta pelo poder militar e político. E, no entanto, não se alterou o estilo.

Em outras palavras, no caso de Akhen-Aton a mudança de culto implicou mais do que apenas uma troca de divindade. Correspondeu a uma nova concepção de vida, a aspirações reformuladas em seu conteúdo espiritual, a um novo conteúdo existencial. É verdade que deparamos com uma constelação de circunstâncias históricas *sui generis*, onde um único indivíduo formula essa visão de vida e o mesmo indivíduo exerce tamanho poder sobre o contexto social a ponto de impregnar todo o fazer cultural da época[4]. Mas somente por tratar-se de um processo de conscientização e de uma mentalidade nova é que pôde surgir um estilo novo.

A convicção profunda que alimentou a renovação espiritual fez-se sentir em todos os detalhes expressivos. O credo continha uma nova tomada de posição ante a vida, novas significações, embora – e teria sido impossível de outro modo – fossem formuladas dentro das noções da época. Os cânticos litúrgicos e os hinos, muitos dos quais têm no próprio faraó o seu autor, sustentam a obra universal vivificadora do Sol: "Salve Rê-Horus do horizonte, jubiloso nas qualidades de seu sagrado nome (fonte divina de luz) que está no Disco". Elaborada a doutrina metafísica de um Deus único como princípio de vida, não se permitia mais, ao simbolizar a divindade, a tradicional incorporação de figuras de animal e seres humanos (Amon tinha cabeça de carneiro em uma de suas

---

4. HAUSER, Arnold. *The Social History of Art*. Londres: Routledge & Kegan Paul, 1951, Vol. I, p. 59-60.

aparições; em outra, a fisionomia humana com cornos de carneiro; em outra, corpo humano com a cabeça de falcão). Evidentemente, ainda não poderia tratar-se de um conceito abstrato de Deus como um princípio ético não personificável. Assim, o Disco, efígie do divino, simbolizava o Sol em sua luminosidade, expandindo suas riquezas sobre a humanidade em forma de um leque de raios que terminavam em mãos abertas.

A contemplação da natureza benfeitora e generosa representava uma atitude nova, atitude a um tempo sensual e lírica que exaltava a vitalidade do viver[5]. Reflete-se nas cenas oficiais que muitas vezes se tornam cenas íntimas, informais, e onde, ao contrário de costumes anteriores, o faraó se faz acompanhar de sua esposa – a belíssima Nefertiti – com proclamações de profunda ternura, em sinal de gratidão cobrindo-a também de raios solares, como para mostrar que com ela dividia a vida e o poder.

Mais ainda do que a narrativa dos temas, importa-nos ver a alteração estilística, isto é, o modo como a comunicação é feita, pois nesse modo se traduz o conteúdo expressivo do que é narrado e representado. Após mais de um milênio de idealização do inalteravelmente sublime e divino, do imortal, temos agora a vida como conteúdo essencial. O viver a vida. A vitalidade do ser. Movimentos e momentos da vida. O tempo que começa a fluir. Sempre coexistiram dentro do estilo oficial diferentes maneiras. Eram tratamentos estilizados de acordo com a etiqueta apropriada às cenas representadas e de acordo com o *status* social do personagem; assim, os domésticos, os camponeses, os escravos e os estrangeiros eram tratados de maneira mais naturalista e eram mostrados em movimentos físicos mais livres, ao passo que uma etiqueta rigorosa de postura prevalecia para os personagens nobres, principalmente para os faraós e as divindades, que recebiam um tratamento solene e cerimonioso. Agora surge um estilo que utiliza vários desses elementos e, no entanto, os integra em uma nova síntese. Num misto entre realismo e expressionismo (pela ênfase formal), as obras da época de Akhen-Aton acentuam aspectos da existência humana, aspectos até pessoais, sem aproximá-los das convenções do imortal ou do divino. A própria figura do faraó o exemplifica. Sempre preservando sua função essencial na sociedade, de representante e incorporação do divino, de "responsável" pelo acontecer cósmico, podendo e tendo como obrigação colaborar com as forças da natureza para assegurar o bem-estar do povo, o faraó é retratado em posturas de devoção e com oferendas. Mas sua figura é vista como a de um homem qualquer. Fisicamente, ele

5. Na época, os cultos de Osíris, divindade do mundo dos mortos, perderam em significação, embora nunca fossem abolidos. A bênção dos mortos passou a ser «tributo de Akhen-Aton, como personificação de Aton, outro aspecto que lhe valeu a hostilidade do clero dos outros templos e, talvez, até do povo.

Ilustração XIX
AKHEN-ATON E SUA FAMÍLIA, altar, baixo-relevo de calcário, egípcio, aproximadamente 1370 a.C.
Museu do Cairo

é disforme até, magérrimo de braços e pernas, e barrigudo[6]. Um homem nem jovem nem belo. No entanto, há uma animação nervosa e intelectual em todos os seus gestos, e especialmente em seu rosto, uma mobilização interior, uma expressão intensamente concentrada, algo de visionário. Contrastando com o anterior ideal impassível, vemos nesse homem feio um novo tipo de beleza; vemos ao mesmo tempo um ser sensual e uma interiorização espiritual.

De acordo com instruções diretas por parte de Akhen-Aton[7], aspira-se a uma nova sensibilidade, a um novo sentido de intimidade com a natureza e de fluidez da vida. Surge um grandioso que nada deve ao monumental nem ao convencionalmente imponente ou solene. É antes uma intensificação. Contém um lirismo, uma certa doçura até, que são absolutamente novos na arte e que tornam as obras dessa época – que ao todo não ultrapassou vinte anos – inconfundíveis com as do milênio anterior.

A morte de Akhen-Aton significa o fim de seu estilo, embora indiretamente apesar de proibições oficiais certas influências permanecessem, já pelo fato de o fenômeno estilístico ter acontecido, ter integrado a realidade social e ter alterado a linguagem[8]. Não será difícil avaliar o quanto o monoteísmo de Akhen-Aton deve ter contrariado os interesses de santuários e dos sacerdotes ligados a outras divindades. Após uma curtíssima corregência com um genro (e, aparentemente, também irmão) Semenkkarê, que o sobreviveu em pouco, é levado ao trono outro genro (outro irmão?) Tutank-Aton, aos dez anos de idade e já casado com outra filha de Akhen-Aton. E não se passaram nem dois anos antes que a criança Tutank-Aton fosse "dissuadida" de seu deus Aton, assumisse o nome de Tutank-Amon, retransferisse a capital para Tebas, restabele-

---

6. Existem conjecturas de que realmente o faraó tivesse sido disforme e de que a razão de sua disformidade física tivesse sido um distúrbio glandular, da hipófise. Supõe-se, ainda, que os artistas, no intuito de adular o faraó, teriam usado essa disformidade como modelo para a configuração do corpo humano em todas as obras de arte. Esse tipo de especulação pertence à categoria das teorias "literárias"; não só desvia o problema da forma expressiva para o campo de alguma disfunção orgânica, como em nada explica as transformações estilísticas, nas artes visuais e muito menos em outros modos de comunicação, na arquitetura, na língua falada e escrita, na música, etc.
7. HAUSER, Arnold. *The Social History of Art*. Londres: Routledge & Kegan Paul, 1951, p. 59: "seu escultor-mor, Bek, acrescenta às distinções a que tem direito, o título *Aluno de Sua Majestade*".
8. Talvez o estilo de Akhen-Aton não tenha tido influência mais duradoura porque a mudança estilística não correspondeu a uma reestruturação social.

Ilustração XX
AKHEN-ATON, busto, detalhe de cabeça, pedra grés amarela, egípcio, aproximadamente 1370 a.C.
Museu do Cairo

cesse os direitos antigos dos deuses, sobretudo de Amon, e ordenasse que se destruíssem os monumentos e os vestígios do faraó herege.

Detivemo-nos na arte egípcia a fim de mostrar como são imprevisíveis as formas novas que surgem na criação, e como ao mesmo tempo parecem "lógicas", historicamente falando. Embora transcendam a época em que foram criadas, cristalizam as significações daquela época e as iluminam com uma clareza extraordinária.

O potencial da renovação existe sempre, mas necessita de condições reais para ser exercido. Essas condições reais se reportam a conteúdos de vida, pois é em relação aos *valores interiorizados* que se dá a criação. Por isso mesmo, quando uma estrutura social é reformulada, ainda seria preciso dela derivar uma nova mentalidade, novos conteúdos de vida que não se limitam só a condições materiais; seria preciso que a nova mentalidade abrangesse as relações entre os homens e os significados existenciais da vida, para que as formas expressivas em que se traduzem as vivências dos homens, fossem também renovadas. A criação então se tornaria uma extensão natural do fazer humano.

Desde o século passado, a criação também subentende a expressão pessoal. Nesse sentido mais individualista, ela faz parte dos significados do nosso contexto cultural. Assim, ainda que as condições objetivas variem bastante, pode-se dizer que de um modo geral a liberdade criativa, isto é, a liberdade de expressão individual é compreendida pela sociedade moderna dentro da ação individual. A sociedade implicitamente propõe a liberdade junto com a ação. Contudo, o problema é mais complexo. Inegavelmente existe hoje uma liberdade, de ação e expressão, maior do que em épocas passadas, com opções pessoais. Essa liberdade deve ser considerada uma aquisição importante da cultura humana ao longo de seu curso histórico. Mas, parar aqui, seria ver uma parte apenas do problema da criação. Se, em termos individuais, adquiriu-se uma liberdade diferente da que existia na Idade Média ou mesmo na Grécia, porque também se adquiriu o direito de se pensar na liberdade de expressão como uma questão a ser pensada, é bastante duvidoso se por isso seríamos mais criativos hoje do que o homem medieval ou grego. Em cada contexto cultural ocorre outro tipo de envolvimento. É o envolvimento por valores espirituais que podem permitir ou não a integração da individualidade e, com isso, permitem ou não a realização das potencialidades criativas.

O que se questiona aqui é precisamente o conteúdo da liberdade de expressão.

Com os envolvimentos de uma sociedade de consumo em que vivemos, onde unicamente nos cabe a função de consumidores – do nascer ao morrer, consumidores – e cujas metas nos chegam como influências corrosivas, pressões, imposições diante das quais é difícil se estruturar e não se perder em superficialidades ou incoerências, com tudo isso coloca-se a liberdade existente como "a" liberdade. Mas, no que não se permite uma visão crítica das premissas desses envolvimentos, será uma liberdade aparente. Ao mesmo tempo, formula-se para a criação, em termos teóricos, o ideal de uma liberdade absoluta, sem limites. É outra falsificação. Esse tipo de liberdade está fora das possibilidades humanas e, portanto, não tem significado.

Retomamos as delimitações. Nós as vimos como fator determinante para se perceber e configurar. Colocamos agora que a própria *aceitação de limites* – das delimitações que existem em todos os fenômenos, em nós e na matéria a ser configurada por nós – é o que nos propõe *o real sentido da liberdade no criar*.

Trata-se de poder aceitar as delimitações não como mero exercício mental – é verdade, afinal somos apenas humanos, tudo tem seus limites, e assim por diante enquanto no íntimo se continua como se nada importasse – mas aceitá-los afetivamente, convictamente, através de nossa empatia com as coisas, numa atitude de *respeito* por elas. É no *respeito* pela existência, pela materialidade finita e intransferível de tudo que é, que as delimitações servem de fonte inesgotável para a criação, ao mesmo tempo incentivando e orientando a ação humana. O criar livremente consistirá num processo dinâmico de poder desdobrar delimitações e com isso poder defini-las de novo.

Do respeito às delimitações advém a verdadeira coragem ante a vida. Inclusive advém a elaboração daquilo que talvez nos seja mais difícil: os limites da própria vida individual, a morte. Os poucos indivíduos que conseguem realizar esta elaboração atingem uma admirável e generosa coragem de viver, a possibilidade de plenamente exercer a vida. Advém-lhes daí a sua dignidade.

Os limites não são áreas proibitivas, são áreas indicativas. São meios e modos de identificar um fenômeno. Ao encontrar os limites, podemos configurar o fenômeno e, mais importante, ao esclarecer os limites, qualificamos o fenômeno.

Nesse sentido entendemos o trabalho de um artista como Mondrian. Vemos a sua persistência, a capacidade entusiástica de ir às últimas consequências indagando a natureza do espaço e finalmente encontrando um espaço quase que despojado de outros atributos que não fossem as extensões e os intervalos. Com tais componentes essenciais Mondrian constrói a forma visual do espaço. Embora não preexista ao ato da configuração, essa forma corresponde a uma imagem interior. É uma forma expressiva, uma imagem nova e extraordinária. Nela, o espaço transcende o racional, sem que a estrutura geométrica deixe de ser racional. Composta, finalmente, de cores, áreas e linhas em ritmos horizontais e verticais, a imagem evidencia uma equivalência plena entre espaços "positivos" e "negativos". Todas as formas são ao mesmo tempo formas de espaço e de intervalos, são cores, áreas e linhas que por sua vez são intervalos de cor, de área e de linha. Não há tessitura pictórica específica, ela também é espaço.

Rigoroso na busca do essencial (um essencial expressivo), e através de delimitações que são sempre qualificações, Mondrian assinala o tipo de espaço que procura pelo tipo de linguagem que usa. Ele nos mostra nesse processo que caráter e pureza da matéria, além de determinarem o conteúdo expressivo, contam como fatores de equilíbrio na obra. Assim pôde Mondrian, pintando, influenciar profundamente a compreensão de outras pessoas que trabalhavam com materiais bastante diversos e em atividades diferentes. De sua pesquisa ainda hoje se beneficiam a arquitetura moderna, o desenho de móveis, o desenho industrial, a comunicação visual, a tipografia, a cenografia. Três décadas após a morte de Mondrian e em um período histórico de aceleradas transformações, de constantes descobertas, a mensagem continua fecunda; continua uma mensagem em aberto.

Avaliamos no trabalho de Mondrian a coragem de uma conscientização ante a matéria. Sim, porque negar a existência de delimitações nada requer de coragem. Pode não passar de qualquer ato inconsequente que se esgota em si. Afinal, folheiem-se revistas de arte que datem de apenas meio ano atrás. Como tudo está morto! Parece que nunca viveu. Na verdade, após um certo tempo de trabalho, digamos uns dez anos, cada um de nós há de adquirir experiência e técnica, uma certa habilidade de manejo na abordagem de problemas e na execução de tarefas; em qualquer campo de trabalho saberá como e onde conseguir informações, como processá-las; além disso, terá alcançado uma certa intimidade com seu específico talento, com suas capacidades individuais. Por mera habilidade poder-se-ia fazer muita coisa. Resta saber, porém, se esse "muita coisa" é apenas um fazer por fazer ou se encerra um compromisso interior com aquilo que se está fazendo.

Quando em seu trabalho o artista cria uma determinada forma, usa determinados elementos, linhas ou cores, planos, volumes, em determinados relacionamentos, e cria um determinado estado de equilíbrio, ele nos está colocando diante de um fato físico indelével do qual ele não mais pode retirar-se. Ele, como ser consciente, há de sentir se tem condições de aceitar a responsabilidade por esse fato. A responsabilidade existe. É um compromisso de ordem ética, um problema que não é só da consciência individual mas também da consciência social, mesmo ao tratar-se de expressão subjetiva como parece ser o caso da arte. Exatamente como um ser consciente e social, o artista não pode eximir-se das implicações de suas opções e ações. Não se exime do fato de que cada ação exercida pelo ser humano, seja ela produtiva ou contemplativa, artística ou não, em si encerra um objetivo social – o da comunicação – referido a valores e a termos de responsabilidade.

Se o indivíduo puder admitir esse referencial, puder trabalhar com ele, efetivamente criará com liberdade. Poderá ser espontâneo em seus encontros com a vida e em todas as suas ações. Experimentando em vias novas, conjecturando, deparando com toda sorte de acasos pelo caminho, ele se orientará livremente. Sempre reconhecendo a existência de limites, até na própria carga vivencial, ele poderá utilizar os acasos, poderá convertê-los em acasos "seus", em sua escolha consciente. Deixarão de existir como acasos e pertencerão a ele como novas possibilidades de transformação. Ele terá essa liberdade porque dentro de si, em sua coerência e em sua delimitação interior, ele parte de responsabilidades e sabe que no seu fazer as assumirá. Ele sabe que, diante de múltiplos caminhos, orientar-se-á na lúcida assunção de múltiplos limites também presentes.

Essa capacidade de reconhecer limites, de si, em si, para si e em relação aos outros, permite ao indivíduo agir livremente. Não se trata nunca de limites abstratos ou de preconceitos. Trata-se, isso sim, do acatamento às possibilidades reais de cada coisa e de cada ser, à transição contínua, porém contida, de tudo com que se lida, sejam objetos com que se trabalha, a linguagem que se usa, a própria vida que se vá viver. A compreensão íntima de si dá ao homem sua verdadeira dimensão.

As delimitações são como as margens de um rio pelo qual o indivíduo se aventura no desconhecido; ele não afundará, nas margens encontrará terra firme a qualquer momento e onde estiver. Por isso a contenção interior é importante. Ela implica um sentido de autoconfiança na qual se amplia a liberdade de criar. Quanto maior for o sentido de busca, mais o indivíduo sabe dentro de si que se reencontrará. Ele se sente seguro, e senti-lo é o essencial. Para o artista, para qualquer pessoa criativa. Embora o ato de criar signifique um ato de abandonar-se e vagar em mundos ignorados, acompanha-o, no entanto, um senso de precisão. Junto com o estímulo a todo nosso ser imaginativo, em que se articula nossa abertura ao mundo, nossa flexibilidade a modificar os rumos caso as circunstâncias o exigirem, a precisão vem-nos como um conhecimento intuitivo baseado em nossa capacidade de jamais perdermos uma visão de conjunto. Guardamos o rumo. Pode o conjunto até expandir-se. Já que, ao se configurar em nossa percepção, simultaneamente o conjunto se delimita, perdura o referencial para os relacionamentos novos que pudermos fazer e para os significados que deles extrairmos.

Criar é poder relacionar com precisão. Ou melhor ainda, *criar é relacionar com adequação*. O referencial dos limites permite que nos relacionamentos se use o senso de proporção, avalie-se a justeza no que se faça. Se por algum motivo tivéssemos que estabelecer uma única qualificação condicional para o que é criativo, essa qualificação seria a da *adequação*, não seria a inovação nem a originalidade. Seria a maneira justa e apropriada por que se corresponderiam as delimitações de um conteúdo expressivo e as delimitações de uma materialidade (os meios usados para se configurar)[9]. Não teríamos *menos* do que no caso fosse necessário, pois o resultado seria pobre, insuficiente e não criativo, mas também não teríamos *mais* do que o necessário, cujo resultado por sua vez seria não criativo no sentido de não verdadeiro, irreal, excessivo, talvez até bombástico e vazio (consequentemente, a originalidade em si não é critério de criação).

Na verdade, as coisas se processam dentro de uma lógica interna, lógica da ação, maior do que talvez faça supor a noção de 'liberdade' no criar. Queremos exemplificá-lo com uma experiência vivida por nós no ensino de arte[10].

Num trabalho feito em conjunto por um grupo de pessoas, a proposta era construir certas configurações lineares. Cada pessoa riscava no quadro-negro uma linha de cada vez. Essa linha não precisava ter qualquer sentido ilustrativo, não tinha que representar um objeto, identificar uma situação. Não era preciso "saber desenhar". Apenas através do traço, que podia ser horizontal, vertical, diagonal, curvo, angular, reto, pontilhado, enfim um traço qualquer, a pessoa seguinte devia tentar continuar de alguma maneira o movimento visual que estava sendo estabelecido no quadro. Podia-se optar pelo movimento nas direções já existentes. Podia-se opor as direções, interrompê-las, restabelecê-las, tornar o andamento mais lento ou mais rápido. O objetivo era procurar obter uma complexidade maior na imagem e ao mesmo tempo tentar reequilibrar uma possível movimentação insuficiente ou excessiva por meio de novas indicações espaciais.

Os comentários com que acompanhamos o trabalho enquanto a imagem estava sendo desenhada, a título de explicação, ativeram-se ao aspecto espacial; naturalmente, e era inevitável, introduziram aspectos expressivos.

A um determinado momento, estabelecido cada vez pelo consenso dos participantes, as configurações eram consideradas "terminadas".

---

9. Nas obras de arte fica patente que os grandes artistas sabem generalizar onde se faz necessário generalizar e detalhar onde é preciso detalhar. Fácil ver em obras medíocres o contrário: sempre onde teria que ser exato e categórico, o autor divaga, e onde poderia, deveria generalizar, entra com detalhes desnecessários e obsessivos.

10. Curso ministrado em 1970 no Rio de Janeiro, a um grupo de adultos, homens entre 20 e 40 anos, sem anterior formação artística ou instrução maior.

Resumimos algumas conclusões dessa experiência: o trabalho era considerado "terminado" quando um certo estado de estabilidade correspondia à dinâmica interior da imagem (à sua diferenciação por meio de movimentos e contramovimentos visuais e às tensões produzidas). A adequação se fez sentir como um equilíbrio. De modo geral, o momento da decisão não foi demasiado difícil; a imagem era vista como concluída quando se sentia que qualquer novo acréscimo só poderia desestruturar o curso do movimento visual em vez de estruturá-lo.

Viu-se cada vez que, independente do fato de se tratar de imagens abstratas ou figurativas, o caráter básico expressivo da configuração se revelava na qualidade dinâmica da configuração – através de um desenvolvimento formal que ora se dava de modo mais "inquieto", ora "agitado", ora de modo mais "sereno". Ficou evidente que a gama de possíveis significados de uma imagem, e também das possíveis interpretações desses significados, depende em última instância de *mobilizações psíquicas* em nós, que por sua vez se vinculam diretamente às qualidades dinâmicas percebidas no *movimento visual da composição*[11].

E, conclusão mais surpreendente: a primeira linha que tinha sido desenhada no quadro-negro também tinha determinado essencialmente o rumo das atuações subsequentes, não no sentido de predizer o que cada um dos participantes faria, mas no sentido de estabelecer uma *caracterização dinâmica*. Se a primeira linha riscada por alguém fosse uma horizontal colocada mais ou menos na área central do quadro, não haveria acentuação formal suficientemente forte que pudesse encaminhar a composição para uma movimentação maior ou pudesse tirar-lhe a firmeza e estabilidade inicial. Inversamente, se a linha inicial fosse uma diagonal ou uma curva e fosse colocada em uma posição lateral, as linhas subsequentes sustentariam a mobilidade e a assimetria da imagem, não a conduziriam para um estado "calmo", mesmo com a imagem equilibrada.

Em outras palavras, a linha inicial traçada por uma pessoa, esse primeiro fato físico produzido determinou com seu impulso o caráter do resultado final. Definiu uma delimitação a qual encadeou outras delimitações. Reduziu as possibilidades infinitas para possibilidades incontáveis ainda, mas não mais infinitas. Representou uma orientação. E à medida que prosseguia o trabalho, acumulando-se os fatos físicos, mais e mais as delimitações se produziam seletivamente. Qualificavam-se reciprocamente.

Se isso acontece no trabalho de um grupo heterogêneo composto por pessoas de temperamentos, interesses, inclinações, sensibilidades, inteli-

---

11. Lembramos aqui a nossa definição de "forma simbólica", capítulo I, nota 14.

gências diferentes e, se mesmo assim, a imagem resultante preserva uma coerência interior, por definições que sustentam uma definição primeira, quanto mais deverá isso acontecer no trabalho de um único indivíduo onde todas as opções, decisões, correções, acentuações partem de uma atitude centrada em sua personalidade.

Por conseguinte, criar livremente não significa poder fazer tudo e qualquer coisa a qualquer momento, em quaisquer circunstâncias e de qualquer maneira. Vemos o ser livre como uma condição estruturada e altamente seletiva, como condição sempre vinculada a uma intencionalidade presente, embora talvez inconsciente, e a valores a um tempo individuais e sociais. Ao se criar, define-se algo até então desconhecido. Interligam-se aspectos múltiplos e talvez divergentes entre si que a uma nova síntese se integram. Imprevistas e imprevisíveis, compondo-se de fatos e de situações sempre novas, as sínteses não se fariam ao acaso; elas seriam orientadas nas opções possíveis a um indivíduo em determinado momento.

Ser livre significa *compreender*, no sentido mais lúcido e amplo que a palavra pode ter. Significa um entendimento de si, uma aceitação em si da necessidade da existência em termos limitados. A vivência desse entendimento é a mais plena e a mais profunda interiorização a que o indivíduo possa chegar. Ser livre é ocupar o seu espaço de vida.

Esse entendimento de si é um processo e não um estado de ser. Contém como correlata a possibilidade de o indivíduo constantemente diversificar-se e acrescentar a si próprio dentro de sua coerência. É um processo que cresce em duas direções simultâneas, como se fosse um leque a abrir e fechar-se num idêntico movimento, atingindo níveis integrativos sempre mais elevados. Crescendo tanto no sentido das delimitações como no de ampliações, a coerência se renova nas potencialidades criativas do indivíduo. A cada síntese, a cada novo nível de compreensão que é possível alcançar, corresponde a base para o aparecimento de novas possibilidades de ser e de criar. A cada síntese se requalificam os limites que funcionam como referencial para o desenvolvimento subsequente. O próprio referencial é continuamente requalificado pelo mesmo processo que ele referencia e qualifica.

Assim, a criação é um perene desdobramento e uma perene reestruturação. É uma intensificação da vida.

Não haveria como compreender de outro modo o curso de crescimento nos grandes artistas. Sua capacidade de se tornar mais amplos e todavia mais simples ao mesmo tempo. Não se trata nesse "mais simples" de uma simplicidade no sentido de uma redução ou eliminação. Trata-se de um adensamento, onde nada fica perdido e tudo é reelaborado com mais coerência e maior multiplicidade.

Quando Rembrandt, em sua juventude, pinta jóias e rendas, o faz com uma sabedoria e técnica extraordinárias. Com pinceladas fluidas pinta reflexos cintilantes em pedrarias e pérolas e ouros e correntes e brincos e filigranas. Na velhice, passa um único traço com a espátula. Examinada de perto, só percebemos uma camada espessa de tinta suja. A dois passos, quando se torna possível abranger o quadro todo e quando essa camada de tinta é visualmente interligada em sua específica forma e matéria à forma e matéria do conjunto, vemos surgir todas as preciosidades do mundo, os ouros, as jóias e as rendas, e ainda as extraordinárias riquezas do espírito humano.

Mais simples, esses grandes seres humanos tornam-se mais profundos e mais transparentes e sempre mais livres. Revelam uma liberdade interior ainda capaz de crescer.

Reiteramos que a criatividade é a essencialidade do humano no homem. Ao exercer o seu potencial criador, trabalhando, criando em todos os âmbitos do seu fazer, o homem configura a sua vida e lhe dá um sentido.

Criar é tão difícil ou tão fácil como viver. E é do mesmo modo necessário.

Índice Remissivo

E

G

Conecte-se conosco:

facebook.com/editoravozes

@editoravozes

@editora_vozes

youtube.com/editoravozes

+55 24 2233-9033

www.vozes.com.br

Conheça nossas lojas:

www.livrariavozes.com.br

Belo Horizonte – Brasília – Campinas – Cuiabá – Curitiba
Fortaleza – Juiz de Fora – Petrópolis – Recife – São Paulo

Vozes de Bolso

EDITORA VOZES LTDA.
Rua Frei Luís, 100 – Centro – Cep 25689-900 – Petrópolis, RJ
Tel.: (24) 2233-9000 – E-mail: vendas@vozes.com.br